Dulces sueños

Volumen 1

Cuentos infantiles para dormir

Alessandro Volga

Título: Dulces sueños Volumen 1 - Cuentos infantiles para dormir

Autor : Alessandro Volga

Primera edición: enero de 2023

El ratón Titus

Érase una vez un ratoncito llamado Titus que vivía en una vieja casa de campo. Titus era un ratoncito muy curioso al que le encantaba explorar el mundo que le rodeaba.

Una noche, mientras Tito caminaba por un sendero del bosque, se encontró con un simpático búho llamado Horacio. Horacio era un búho sabio y amable, y enseguida vio que Tito era un ratoncito muy valiente.

"¿Qué haces aquí a estas horas, Titus?", preguntó Horacio.

"Estoy buscando algo interesante que hacer", respondió Tito.

"Ah, ya veo", dijo Horacio. "Bueno, tengo una idea para ti. ¿Sabes que la luna está a punto de salir? Si te subes a mi espalda, te llevaré a la copa del árbol más alto del bosque, y podrás ver la luna cuando salga".

Titus aceptó encantado la invitación de Horacio. Se subió al lomo del búho y juntos volaron hasta el árbol más alto del bosque. Allí, Titus admiró la belleza de la luna que se elevaba lentamente sobre el horizonte.

"¡Es preciosa!", exclamó Titus.

"Sí, lo sé", dijo Horacio. "Es una de las cosas más hermosas que se pueden ver".

Tito y Horacio se quedaron mirando cómo salía la luna hasta que estuvo completamente en el cielo. Horacio volvió a llevar a Titus a casa, y el ratoncito se fue a dormir con el corazón lleno de asombro ante el mundo que le rodeaba.

A partir de entonces, cada vez que Tito quería ver salir la luna, se acercaba al árbol alto del bosque, donde Horacio le esperaba para llevarle a ver el espectáculo de la naturaleza. Y así, Titus aprendió que, aunque era pequeño, podía ver cosas maravillosas si sólo tenía el valor de explorar el mundo que le rodeaba.

Dino, el dinosaurio protector

Érase una vez Érase una vez, en un mundo antiguo y lejano, un joven dinosaurio llamado Dino. Dino era un gran reptil prehistórico con una gruesa cola y piel escamosa. Vivía en un frondoso bosque verde junto a sus amigos, un brontosaurio llamado Bruno y un pterodáctilo llamado Goofy.

Un día, mientras exploraban el bosque, Dino y sus amigos oyeron un fuerte estruendo. Era un terremoto. La tierra tembló bajo sus pies y las hojas de los árboles cayeron como lluvia.

Dino y sus amigos huyeron hacia un gran barranco, con la esperanza de encontrar refugio. Pero cuando llegaron, se dieron cuenta de que el barranco era demasiado pequeño para ellos. Tuvieron que buscar otro lugar donde esconderse.

Fue entonces cuando Dino vio un gran árbol con raíces que sobresalían de la tierra. Pensó que era lo bastante grande como para protegerle a él y a sus amigos. Así que, sin dudarlo, corrió hacia el árbol y se escondió entre las raíces.

Pero el terremoto era cada vez más fuerte. Las raíces del árbol temblaban y Dino corría peligro de ser aplastado. Fue entonces cuando se dio cuenta de que había un pequeño huevo de dinosaurio a su lado. Dino no sabía de quién era, pero sabía que tenía que protegerlo.

Así que Dino cogió el huevo y lo cubrió con su gran cuerpo, protegiéndolo de las raíces que caían. Y finalmente, cuando el terremoto amainó, Dino y sus amigos estaban a salvo.

Cuando miró el huevo de dinosaurio, Dino se dio cuenta de que había sido muy valiente. Había arriesgado su propia vida para proteger a alguien que no conocía. Pero ahora sabía que la pequeña criatura dependía de él para sobrevivir.

Y así, cada noche, Dino se acurrucaba junto al huevo y lo protegía con su gran cuerpo, esperando a que eclosionara. Y cuando el huevo por fin eclosionó, Dino vio que era una cría de dinosaurio muy pequeña y delicada. Pero gracias a la protección de Dino, estaba a salvo.

A partir de ese día, Dino se convirtió en un gran protector, siempre dispuesto a arriesgar su vida para proteger a los demás. Y el dinosaurio recién nacido creció fuerte y sano, gracias a su protección. Y todos los habitantes del bosque aprendieron a respetar y admirar a Dino, el gran dinosaurio protector.

Max y Tom

Érase una vez un perro viejo llamado Max que vivía con su amo, un amable caballero llamado Tom. Max y Tom eran inseparables y pasaban todos los días juntos.

Un día, sin embargo, Tom cayó enfermo y tuvo que guardar cama. Max estaba muy preocupado por su amo, pero no sabía cómo ayudarle. Así que decidió recorrer el pueblo en busca de algo que pudiera hacer para ayudar a Tom a ponerse bien.

Durante su búsqueda conoció a muchos animales diferentes, pero ninguno sabía cómo ayudar a Tom a curarse. Finalmente, Max conoció a una tortuga vieja y sabia que vivía en los bosques cercanos al pueblo. La tortuga le dijo a Max que la mejor cura para Tom era una hierba especial que sólo crecía en la cima de la montaña más alta de la región.

Max sabía que la montaña estaba lejos y que la escalada sería difícil, pero decidió intentarlo. Inmediatamente comenzó su viaje hacia la cima de la montaña, caminando durante días y noches sin parar.

Finalmente, tras muchas dificultades, Max llegó a la cima de la montaña. Encontró la hierba especial que le había descrito la tortuga y la llevó montaña abajo tan rápido como pudo.

Cuando llegó a casa, Max le dio la hierba a Tom, que inmediatamente empezó a sentirse mejor. La cura de Max había funcionado. Tom se recuperó completamente y pudo volver a pasar tiempo con Max como antes.

Max se sentía muy feliz de haber ayudado a su querido amo a recuperarse. Pero también sabía que su verdadero don era el amor que sentía por Tom. Ese amor le había llevado a superar todos los obstáculos para ayudar a su amo, y Tom nunca olvidaría el gran sacrificio que Max había hecho por él.

Y así, Max y Tom siguieron pasando todos los días juntos, con un vínculo aún más fuerte que antes. Y todos los que los conocían admiraban el increíble amor y lealtad que existían entre un perro y su dueño.

Princesa Isabel

Érase una vez una hermosa princesa llamada Isabel que vivía en un gran castillo situado en una colina. Isabel era hija del rey y de la reina, y todos los habitantes del reino la admiraban por su belleza y su bondad.

Un día, la princesa decidió dar un paseo por los jardines del castillo. Pero mientras caminaba entre las flores y los árboles, se encontró con un sapo feo que parecía muy triste.

"¿Por qué estás tan triste?", preguntó la princesa.

"Soy un príncipe convertido en sapo por una bruja malvada", respondió el sapo.

"¿Puedo ayudarle?", preguntó la princesa.

"Sólo un beso cariñoso de una princesa puede romper el hechizo y devolverme mi apariencia humana", respondió el sapo.

Isabella no lo dudó y besó al sapo con todo el amor de su corazón. Y de repente, el sapo se convirtió en un hermoso príncipe, muy agradecido a la princesa por haberle salvado.

El príncipe y la princesa pasaron muchos días juntos, paseando por los jardines y hablando de todas las cosas maravillosas del mundo. Y mientras pasaban tiempo juntos, la princesa se enamoró del príncipe, y el príncipe se enamoró de ella.

Pero un día, la princesa descubrió que el príncipe era de un reino enemigo, y que su amor estaba prohibido por las leyes de su reino. Isabella estaba muy triste, pero sabía que su amor por el príncipe era real y que haría cualquier cosa por estar con él.

Entonces, la princesa decidió hablar con su padre, el rey, y pedirle permiso para casarse con el príncipe. El rey estaba preocupado por la seguridad de su reino, pero al final se dio cuenta de que el amor de la princesa era real y le dio permiso para casarse con el príncipe.

Así pues, la princesa y el príncipe se casaron en una gran ceremonia, y todos los habitantes del reino fueron invitados a celebrarlo. E Isabel y el príncipe vivieron felices para siempre, demostrando que el amor es más fuerte que cualquier ley o límite.

Y así, cada vez que la princesa miraba al sapo que había besado, recordaba su amor por el príncipe y el valor que había tenido al seguir a su corazón. Y todos los habitantes del reino aprendieron que el amor puede con todo, incluso con la magia más poderosa.

Thomas e Isa

Érase una vez un joven caballero llamado Tomás, el más valiente del reino. Tomás era muy respetado por el rey y la gente del reino, pero sentía que algo faltaba en su vida.

Un día, el rey le ordenó que acompañara a la princesa Isa en un viaje para conocer al príncipe de un reino vecino. Tomás aceptó el encargo, pero cuando vio a la princesa Isa, quedó impresionado por su encanto y su belleza.

Durante el viaje, Tomás e Isa pasaron mucho tiempo juntos y se enamoraron perdidamente. Pero ella estaba prometida al príncipe que el rey quería conocer, y él sabía que su amor era imposible.

Al final, el príncipe le pide a Isa que se case con él, y ella acepta. Pero la noche antes de la boda, Isa pidió a Thomas que se reuniera con ella en secreto en el jardín del castillo.

Allí, Isa le dio una poción de amor, que debía garantizar que el príncipe nunca pudiera cumplir los deseos de Isa y que ella siguiera enamorada de Tomás. Pero, sin saberlo, ambos bebieron la poción y se enamoraron aún más.

La princesa Isa se casó con el príncipe, pero su corazón seguía perteneciendo a Thomas. Y Tomás, que había jurado fidelidad al rey, no podía abandonar su deber y su honor para estar con ella.

Así que abandonó el reino y a la princesa para ir a luchar en guerras lejanas. Pero su amor era demasiado fuerte para olvidarlo, y cada noche Isa miraba a las estrellas, con la esperanza de encontrar a su amor lejos de allí.

Después de muchos años, Tomás regresó al reino, enfermo y moribundo. La princesa Isa lo encontró en su lecho de muerte y, por última vez, ambos se declararon amor eterno. Y murieron juntos, unidos por un amor más fuerte que cualquier barrera o distancia.

Y así, su historia se contó de generación en generación, como ejemplo de un amor tan grande y puro que ni siquiera la muerte puede separarlo. Y todos aprendieron que el amor puede ser el regalo más grande y precioso de la vida, pero también el más doloroso y difícil de afrontar.

La historia de Zahara

Érase una vez un niño llamado Alí, que vivía en una lejana ciudad del desierto. Un día, mientras paseaba por las calles, Alí conoció a una hermosa princesa llamada Zahara, que había sido secuestrada por un malvado sultán y llevada al desierto.

Alí se enamoró perdidamente de Zahara y decidió rescatar a la princesa del malvado sultán. Pidió ayuda a un viejo y sabio mercader llamado Omar, que le dio un mapa del desierto y le mostró la ruta más segura hacia el palacio del sultán.

Alí partió inmediatamente hacia el desierto, caballo a la espalda y espada al cinto, decidido a salvar a Zahara. Tras muchos días de viaje, llegó por fin al palacio del sultán, donde vio a la princesa encerrada en una torre alta e impenetrable.

Pero Alí no se rindió. Con su astucia y habilidad con la espada, consiguió entrar en el palacio y llegar a la torre de la princesa. Derrotó al sultán y liberó a Zahara, sacándola sana y salva del palacio.

El viaje de vuelta fue aún más difícil, con muchas trampas y peligros en el desierto. Zahara y Ali tuvieron que luchar juntos para sobrevivir, pero finalmente llegaron a la ciudad de Ali, donde fueron recibidos con una gran celebración.

El rey de la ciudad, que estaba muy agradecido a Alí por haber salvado a la princesa, le ofreció la mano de Zahara en matrimonio. Y Alí y Zahara se casaron en una gran ceremonia, en la que todos los habitantes del reino celebraron su unión.

Ali nunca olvidó su aventura en el desierto y el valor que demostró para salvar a su amada Zahara. Y desde ese día se convirtió en un héroe de la ciudad, un ejemplo de valor y determinación para todos los jóvenes de la región.

Y así, la historia de Ali y Zahara se contó de generación en generación, como ejemplo de un amor tan fuerte y puro que tiene el poder de superar cualquier dificultad. Y todos aprendieron que la determinación y el coraje pueden superar incluso la mayor adversidad, y que el amor es el mayor regalo que uno puede recibir en la vida.

Los conejitos educados

Érase una vez una familia de conejitos que vivía en una bonita madriguera bajo un gran árbol. Los conejitos eran muy educados y amables entre sí, pero un día llegaron a su madriguera unos invitados inesperados.

Los conejitos estaban muy emocionados por tener invitados, pero no sabían cómo comportarse. La mamá conejita, que era muy sabia, decidió enseñar a sus hijos a comportarse de forma educada y respetuosa con los invitados.

"En primer lugar", dijo la mamá coneja, "debemos ofrecer a nuestros invitados algo de beber y de comer. Coge nuestras mejores zanahorias y lávalas bien para hacer una deliciosa ensalada".

Los conejitos fueron inmediatamente al huerto a recoger zanahorias, y la mamá conejita preparó una gran ensalada para servir a los invitados.

"Ahora que tenemos comida", dijo la mamá conejo, "debemos aprender a saludar a los invitados con educación. Cuando nos encontremos con alguien, debemos decir 'buenos días' o 'buenas noches', y hacer una reverencia cortés".

Los conejitos aprendieron pronto a saludar a los invitados con una sonrisa y una reverencia, mostrando respeto y amabilidad.

"Por último", dijo la mamá conejita, "debemos escuchar a los invitados y hablarles con respeto. Si alguien nos habla, debemos mirarle a los ojos y contestarle con educación".

Los conejitos aprendieron a hablar con los invitados de forma educada, pidiéndoles que les contaran sus historias y escuchando atentamente.

Los invitados quedaron encantados con la hospitalidad y amabilidad de los conejitos. Y los conejitos se dieron cuenta de que comportarse con educación no solo era importante para causar una buena impresión a los invitados, sino también para mostrar respeto y amabilidad hacia los demás.

Y así, la familia de conejitos aprendió que la cortesía y la amabilidad son importantes en cualquier situación, ya se trate de invitados inesperados o de amigos de toda la vida. Y todos aprendieron que la amabilidad y el respeto son la base de cualquier relación sana y feliz.

La ira de Roberto

Érase una vez un niño llamado Roberto, que era muy impulsivo y tenía dificultades para controlar su ira. Cuando algo no salía como él quería, se enfadaba con facilidad y cogía rabietas.

Un día, Roberto decidió dar un paseo por el bosque cercano a su casa. Mientras caminaba entre los árboles y las hojas caídas, se encontró con un búho viejo y sabio.

El búho era muy sabio y comprensivo, e inmediatamente se dio cuenta de que Roberto tenía dificultades para controlar su ira. Así que decidió ayudarle.

"Roberto", dijo el búho, "la ira es como una gran tormenta dentro de ti. Cuando llega, te hace sentir mal y te lleva a hacer cosas de las que luego te arrepientes. Pero puedes aprender a controlarla, como se controla un barco en medio de las olas del mar".

"¿Pero cómo puedo hacerlo?", preguntó Roberto.

"Aprende a escuchar tu ira", respondió el búho. "Cuando la sientas venir, detente y piensa en lo que te hace enfadar. Pregúntate si merece la pena reaccionar así o si puedes encontrar una solución más pacífica".

Roberto intentó escuchar su ira y poco a poco aprendió a controlarla. Cada vez que se enfadaba, se paraba a pensar en lo que estaba pasando. A menudo se daba cuenta de que su reacción era exagerada y que podía encontrar una solución más pacífica.

Con el tiempo, Roberto fue controlando cada vez mejor su ira. Y cuando las cosas no salían como él quería, en lugar de enfadarse, intentaba encontrar una solución pacífica y razonada.

El búho estaba muy orgulloso de Roberto y de su crecimiento. Y cuando Roberto se encontraba con él en el bosque, le contaba sus aventuras y los retos que había superado.

Y así, Roberto aprendió que controlar la ira era importante para ser un buen amigo y compañero de juegos. Y todos aprendieron que la ira puede controlarse si uno aprende a escucharla y a gestionarla con sabiduría y paciencia.

Marco el ladrón

Érase una vez un ladrón llamado Marco, que robaba objetos de valor por toda la ciudad. Marco era hábil en su oficio y conseguía eludir a la policía cada vez que lo perseguían.

Pero una noche, mientras intentaba robar una joya antigua de una casa, Marco conoció a la dueña de la casa, una anciana muy amable.

La señora le ofrece un vaso de leche y le invita a sentarse para hablar. Marco se sorprende por la amabilidad de la señora y decide quedarse.

La señora le contó su historia, y le contó cómo su querido marido había donado aquella joya a la ciudad hacía muchos años para que todos la admiraran. Marco se sintió culpable por lo que estaba haciendo, y se dio cuenta de que su comportamiento era incorrecto.

La señora, al ver la tristeza de Marco, le dice: "Sé que has hecho mal, pero aún puedes cambiar tu futuro. Solo tienes que aprender a pedir perdón por tus errores y reparar el daño que has causado".

Marco se dio cuenta de que la señora tenía razón y decidió poner fin a su carrera de ladrón. Empezó a disculparse con las personas a las que había robado e intentó reparar el daño causado devolviéndoles los bienes robados.

La policía, que llevaba mucho tiempo buscando a Marco, lo encontró y lo detuvo. Pero Marco no se rindió. Confesó todos los delitos que había cometido y pidió perdón por el mal que había hecho.

La justicia lo condenó a cumplir una pena, pero Marco salió de la cárcel convertido en otra persona. Empezó a trabajar honradamente y a intentar hacer el bien a la comunidad.

La señora que le había ayudado aquella noche le recibió con los brazos abiertos, feliz de ver que había decidido cambiar de vida.

Y así, Marco aprendió que, aunque hubiera tomado malas decisiones en el pasado, siempre tenía la oportunidad de cambiarlas y hacer el bien. Y todos aprendieron que pedir perdón por los errores cometidos es el primer paso para reparar el daño causado y convertirse en mejores personas.

Elisa y Agatha

Érase una vez una bruja llamada Elisa, que vivía en una acogedora casa en el bosque. Elisa era una buena hechicera, que utilizaba sus poderes para hacer el bien a sus conciudadanos y ayudar a quien lo necesitara.

Un día, una malvada bruja llamada Agatha llegó al pueblo. Agatha era malvada y pretendía utilizar sus poderes para dañar a los ciudadanos y al propio pueblo.

Elisa y Agatha se conocían desde hacía mucho tiempo y nunca habían tenido una buena relación. Elisa siempre intentaba convencer a Agatha de que utilizara sus poderes para hacer el bien, pero Agatha no la escuchaba y seguía haciendo el mal.

Un día, Agatha desató una terrible tormenta sobre la ciudad, causando daños y destrucción por todas partes. Elisa se preocupó mucho por la ciudad y decidió hacer algo al respecto.

Con su magia, Elisa consiguió calmar la tormenta y reparar los daños causados por Agatha. Después fue a visitar a Agatha a su guarida en el bosque.

"Agatha, ¿por qué tienes que hacer daño a la ciudad y a sus ciudadanos?", preguntó Elisa. "Puedes usar tus poderes para hacer el bien, como hago yo".

Agatha respondió: "Nunca he tenido una razón para hacer el bien. Pero quizá tengas razón, quizá pueda aprender a utilizar mis poderes para hacer el bien".

Así, Elisa y Agatha pasaron tiempo juntas, y Elisa enseñó a Agatha a utilizar sus poderes para el bien. Agatha aprendió a hacer las paces con el pueblo y sus conciudadanos, y se convirtió en una buena bruja.

La ciudad y sus ciudadanos se alegraron de que Agatha hubiera cambiado de vida y le pidieron que ayudara a la ciudad cuando lo necesitara.

Y así, Elisa y Agatha aprendieron que, aunque se tengan poderes especiales, hay que usarlos sabiamente y con la intención adecuada. Y aprendieron que incluso cuando parece que no hay esperanza, siempre es posible encontrar una forma de cambiar la propia vida y convertirse en una persona mejor.

Sofía y el helado

Érase una vez una niña llamada Sofía a la que le encantaban los helados. Cada vez que veía un cartel que indicaba una heladería, no podía resistir la tentación de entrar y pedir un helado.

Un día, paseando por el parque, Sofía se cruzó con un anciano que vendía helados caseros en un carrito. El anciano tenía una sonrisa amable y un aire muy amistoso.

"Buenos días, señorita", dijo el anciano caballero. "¿Quiere un helado?"

"¡Por supuesto!", respondió Sofía, y pidió un gran cucurucho de helado de fresa.

Mientras disfrutaba de su helado, Sofía se dio cuenta de que el anciano parecía un poco triste. "¿Le pasa algo?", preguntó Sofía.

El anciano suspiró y dijo: "Llevo toda la vida haciendo este trabajo, pero ahora me estoy haciendo viejo y cansado. No sé cómo voy a seguir vendiendo helados durante mucho más tiempo.

Sofía se dio cuenta enseguida de que el anciano necesitaba ayuda. "¿Por qué no le ayudo a vender helados?", preguntó Sofía. "Quizá juntos podamos vender aún más helados y hacer aún más feliz a la gente".

El anciano sonrió y aceptó la oferta de Sofía. Así que los dos empezaron a trabajar juntos, vendiendo helados caseros en el parque. Sofía se divertía mucho atendiendo a los clientes y hablando con ellos, y el anciano caballero se alegraba de tener una ayudante tan atenta.

Con el paso del tiempo, la heladería del anciano caballero se hizo cada vez más famosa, y la gente empezó a venir de todas partes para probar sus helados. Sofía y el viejo caballero estaban muy contentos de ver que su trabajo traía tanta felicidad a la gente.

Y así, Sofía aprendió que ayudar a los demás puede aportar mucha alegría y felicidad. Y todos aprendieron que, cuando uno se une para hacer el bien, puede alcanzar grandes metas y hacer realidad grandes sueños. Y el helado casero del anciano caballero se convirtió en el más famoso y delicioso de todo el pueblo.

Sara quiere ser famosa

Érase una vez una niña llamada Sara que tenía un sueño: hacerse famosa. Sara quería ser conocida en todo el mundo por su habilidad y talento.

Para alcanzar su sueño, Sara se entrenaba todos los días. Cantaba, bailaba, escribía y dibujaba, tratando de encontrar su verdadero talento.

Pero a pesar de sus esfuerzos, Sara nunca parecía alcanzar la fama que deseaba. A menudo se sentía decepcionada y triste, y empezó a pensar que su sueño era imposible de realizar.

Un día, mientras Sara paseaba por el bosque, se encontró con una anciana muy extraña. La señora tenía una cara amable y unos ojos brillantes, y hablaba con una voz muy dulce.

"¿Qué te pasa, cariño?", preguntó la señora.

"Quiero ser famosa", respondió Sara. "Pero parece que nunca lo conseguiré".

La señora sonrió y dijo: "No tienes que preocuparte por la fama, querida. Sólo tienes que ser tú misma y hacer lo que te gusta. La felicidad viene de hacer lo que amas, no de la fama'.

Sara se dio cuenta enseguida de que la señora tenía razón. Decidió seguir su consejo y empezó a hacer lo que le gustaba sin preocuparse por la fama.

Cantaba, bailaba, escribía y dibujaba por puro placer, no para hacerse famosa. Poco a poco, la gente empezó a darse cuenta de su talento y a pedirle que actuara para ellos.

A Sara le hacía feliz compartir su pasión con los demás y ver que la gente apreciaba lo que hacía. No era mundialmente famosa, pero para ella lo más importante era hacer lo que le gustaba y hacerlo bien.

Y así, Sara aprendió que la felicidad no viene de la fama o la riqueza, sino de hacer lo que uno ama y hacerlo bien. Y todos aprendieron que cuando uno sigue su pasión, puede encontrar la felicidad en todo lo que hace.

Peter el pájaro

Érase una vez un pajarito llamado Pietro, que vivía con su mamá en un hermoso árbol del bosque. Pietro adoraba a su mamá y se pasaba el día jugando y cantando con ella.

Un día, sin embargo, mientras buscaba comida, Pedro se alejó demasiado de su madre y se perdió. Intentó volver a casa solo, pero no lo consiguió.

Pedro empezó a llorar, porque tenía miedo y echaba de menos a su madre. Siguió buscando, pero el bosque parecía interminable y no sabía adónde ir.

Al final, Peter se encontró con otra madre pájaro, que se dio cuenta de la tristeza de Peter y le preguntó qué le había pasado. Pedro le contó su historia y la madre pájaro se ofreció a ayudarle a encontrar a su madre.

Empezaron a buscar juntos, volando de árbol en árbol y pidiendo ayuda a los demás animales del bosque. Al cabo de un rato, la madre de Pedro oyó su canción y voló hacia él.

Cuando se encontraron, Peter abrazó a su madre, feliz de haber sido encontrado. La madre de Pedro dio las gracias al pájaro madre por haberla ayudado a encontrarlo, y juntos volvieron a su árbol en el bosque.

Peter comprendió que nunca debía alejarse demasiado de su madre y que, si se perdía, siempre habría otras madres y amigos dispuestos a ayudarle.

Y así, Pedro aprendió la importancia de la ayuda y la amistad, y todos aprendieron que, cuando se necesita ayuda, siempre hay alguien dispuesto a ayudar. Y el árbol de Pedro se convirtió en un lugar de amistad y alegría, donde todos los pájaros se reunían para cantar y jugar juntos.

Chiara y el lavado de manos

Érase una vez una niña llamada Chiara, a la que le encantaba jugar al aire libre. Le gustaba correr, saltar y jugar con sus amigos todo el día. Pero a pesar de su alegría, Chiara enfermaba a menudo.

Un día, la madre de Chiara le explicó que la higiene era muy importante para la salud, y que lavarse las manos era una de las mejores formas de prevenir enfermedades.

Chiara no sabía muy bien lo que significaba "higiene", pero su madre le explicó que significaba mantenerse limpio y que lavarse las manos significaba eliminar los gérmenes que pueden causar enfermedades.

La madre de Clare le enseñó a lavarse las manos correctamente, con agua y jabón, y le pidió que se lavara las manos cada vez que jugara fuera, antes de comer y después de ir al baño.

Al principio, a Chiara no le gustaba lavarse las manos. Le parecía tedioso y una pérdida de tiempo. Pero luego, cuando su madre le explicó que los gérmenes podían hacerles daño, Chiara comprendió la importancia de lavarse las manos.

Así, empezó a lavarse las manos más a menudo y con más cuidado. También pidió a sus amigos que se lavaran las manos con ella, y pronto todos los niños de su barrio empezaron a lavárselas con más frecuencia.

Chiara y sus amigos se volvieron más sanos y felices, y enfermaban con mucha menos frecuencia. Y la madre de Clara estaba muy contenta de ver que su lección había tenido un efecto positivo en la salud de todos.

Y así, Clare aprendió la importancia de la higiene y el cuidado de la salud, y todos aprendieron que, aunque lavarse las manos parezca tedioso, es una de las formas más sencillas e importantes de prevenir enfermedades y mantenerse bien.

Perro y gato

Érase una vez un gato llamado Fufi y un perro llamado Toby, que vivían en la misma casa pero no se llevaban muy bien. Fufi odiaba que Toby ladrara o saltara sobre él, mientras que Toby no entendía por qué Fufi estaba siempre tan nervioso y tímido.

Un día, la casera decidió hablar con sus animales para intentar resolver su conflicto. La casera explicó a Fufi y Toby que, aunque eran diferentes, ambos eran igual de importantes y queridos.

Entonces empezaron a hacer actividades juntos, como jugar con una pelota o sentarse junto a la chimenea. Al principio, Fufi y Toby se mostraron un poco recelosos, pero poco a poco se fueron conociendo mejor y se dieron cuenta de que no había motivo para ponerse nerviosos o agresivos.

Con el tiempo, Fufi y Toby se hicieron grandes amigos. Fufi se dio cuenta de que Toby no era tan asustadizo como parecía, mientras que Toby se dio cuenta de que Fufi era un gato muy cariñoso y dulce.

Se hicieron inseparables y pasaban los días juntos, corriendo por el prado, jugando a sus juegos favoritos y relajándose al sol.

La casera se alegró de ver que sus animales por fin se habían aceptado y convivían en paz y armonía. Fufi y

Toby se habían convertido en un ejemplo para todos los demás animales de la casa, y las otras parejas de animales empezaron a intentar hacer lo mismo.

Y así, Fufi y Toby aprendieron la importancia de la amistad y la coexistencia pacífica, y todos aprendieron que, aunque seamos diferentes, siempre podemos encontrar la manera de vivir en paz y armonía unos con otros.

La sirena

Érase una vez una sirena llamada Marina, que vivía en un mar cristalino. A Marina le encantaba nadar entre las olas y las corrientes, y le encantaba todo lo que había en el mar.

Pero un día, un grupo de pescadores se acercó al mar de Marina y empezó a pescar a sus amigos los peces y otros habitantes del mar. Marina estaba desesperada y triste por el sufrimiento de las demás criaturas marinas.

Entonces decidió salir del agua e ir a hablar con los pescadores. Les explicó que el mar no era sólo un lugar para pescar, sino un mundo mágico lleno de vida que había que proteger y respetar.

Los pescadores escucharon atentamente las palabras de Marina y se dieron cuenta de que estaban equivocados. Prometieron no pescar más de lo necesario y ayudar a proteger el mar.

Marina se alegró de ver que los pescadores habían entendido su mensaje y habían decidido ayudar a proteger el mar. Volvió al agua y nadó con sus amigos, feliz de volver a rodearse de la belleza del mar.

A partir de ese día, Marina decidió ayudar a todos los que nunca habían visto la belleza del mar, enseñándoles a amarlo y protegerlo. Cada vez que alguien se acercaba al mar, Marina salía del agua para explicar su importancia y la necesidad de protegerlo.

La gente con la que se encontraba siempre quedaba muy impresionada por sus palabras e historias, y muchos de ellos se unían a su causa, ayudando a proteger el mar y a sus habitantes.

Y así, Marina aprendió la importancia del amor al mar y su protección, y todos aprendieron que cuando cuidamos nuestro mundo, éste nos recompensará con su belleza y su vida.

El barco que se hunde

Érase una vez una familia de pescadores que vivía en un pequeño pueblo cerca del mar. Un día, mientras navegaban, la familia vio a lo lejos un barco que parecía tener problemas. Al acercarse, vieron que el barco se hundía y que los pasajeros a bordo pedían ayuda.

La familia de pescadores no tardó en darse cuenta de que tenían que hacer algo para salvar a los pasajeros del barco. No disponían de muchos recursos, pero estaban acostumbrados a trabajar juntos y encontrar soluciones creativas.

Entonces empezaron a subir a la embarcación al mayor número posible de pasajeros, salvando incluso a los que no sabían nadar. Los miembros de la familia se ayudaron mutuamente e hicieron todo lo posible por poner a todos a salvo.

Tras rescatar a todos los pasajeros, la familia llevó a todos a tierra, donde fueron acogidos y rescatados. Los cubrieron con mantas calientes y les dieron comida y bebida antes de llevarlos ante las autoridades locales.

La familia de pescadores recibió muchos elogios y reconocimiento por su valentía y generosidad. Pero para ellos, la mayor recompensa fue la gratitud de los pasajeros que habían salvado y el saber que habían hecho lo correcto.

Así, la familia de pescadores aprendió la importancia de la solidaridad y el valor, y todos aprendieron que, aunque no se tenga mucho, siempre se puede hacer algo para ayudar a los demás y marcar la diferencia. Su acción inspiró a muchas personas, que empezaron a poner de su parte para ayudar a los demás, demostrando que el bien siempre puede triunfar sobre el mal.

Encuentra la fuerza dentro de ti

Érase una vez una familia de conejos que vivía feliz en un campo de flores. La mamá coneja tenía tres conejitos que jugaban y saltaban juntos todos los días.

Un día, sin embargo, la coneja madre murió de repente. Las tres crías estaban desesperadas y no entendían por qué su madre ya no estaba con ellas.

La familia de conejos pidió ayuda al sabio búho del bosque, que les explicó que la vida está hecha de ciclos, y que la muerte es una parte natural de este ciclo.

Les enseñó que el duelo forma parte del proceso de curación y que se necesita tiempo para superar la pérdida de un ser querido. También les aconsejó llorar y hablar de sus sentimientos, compartir su dolor y recordar los buenos momentos que pasaron juntos.

Los tres conejitos empezaron a seguir los consejos del sabio búho y poco a poco aprendieron a aceptar la pérdida de su madre. Recordaban los buenos momentos que habían pasado juntos y se consolaban mutuamente cuando se sentían tristes.

Poco a poco, los tres conejitos empezaron a jugar y saltar juntos de nuevo, y a descubrir la belleza de la vida incluso sin su madre.

La familia de conejos aprendió que, aunque la vida puede ser dolorosa y difícil, es importante contar con el apoyo de amigos y familiares, y no dejar nunca de buscar la belleza y la felicidad en la vida.

Y así, los tres conejitos aprendieron a soportar el dolor del luto, y todos aprendieron que, a pesar de las dificultades, la vida continúa y que el recuerdo de quienes hemos perdido vive dentro de nosotros para siempre.

Mamá y papá

Érase una vez un niño llamado Giovanni, que siempre tenía todo lo que quería. Pero Giovanni a menudo se olvidaba de dar las gracias a sus padres y se enfadaba cuando las cosas no le salían como quería.

Un día, la madre de Giovanni cayó enferma y tuvo que guardar cama unos días. Giovanni se sintió solo y triste, y empezó a darse cuenta de lo mucho que su madre hacía por él cada día.

Entonces decidió cuidar de su madre, llevándole comida a la cama e intentando hacer todo lo posible por ayudarla. La madre de John se alegró mucho de ver a su hijito cuidando de ella y se lo agradeció con un fuerte abrazo.

A partir de entonces, John empezó a querer más a sus padres y a darles las gracias por todo lo que hacían por él. Comprendió que el amor y la gratitud son importantes para mantener la felicidad y la armonía en la familia.

La madre y el padre de John se alegraron de ver el cambio en su hijo y le dijeron que el amor y la gratitud son la clave de una vida feliz y armoniosa.

Y así, John aprendió la importancia de querer a sus padres y mostrar gratitud por todo lo que hacen por él, y todos aprendieron que el amor y la gratitud son fundamentales para construir relaciones sanas y duraderas con los seres queridos.

Los ratones contra el dragón

Érase una vez un dragón grande y poderoso llamado Barbatrucco, que vivía en una montaña y aterrorizaba a los pueblos de los alrededores. Cada vez que bajaba de la montaña, robaba la comida y los recursos de los pueblos e intimidaba a los más débiles y pequeños.

Un día, sin embargo, Barbatrucco se encontró con un grupo de ratoncitos que vivían cerca de su madriguera. Barbatrucco, que se sentía superior a los ratones, empezó a burlarse de ellos y a amenazarlos.

Pero uno de los ratones, el más pequeño y valiente del grupo, se levantó y dijo: "No importa lo grande o fuerte que seas, no está bien meterse con los más débiles y pequeños. Debéis aprender a respetarlos y protegerlos, no a amenazarlos".

Barbatrucco se sorprendió por las palabras del ratoncito y empezó a pensar en sus actos. Se dio cuenta de que había hecho daño a mucha gente sólo porque era más grande y fuerte que ellos, y que eso no estaba bien.

Entonces decidió cambiar y empezó a proteger a los aldeanos en lugar de asustarlos. Pidió perdón a los ratones y a los demás aldeanos, e intentó enmendar el mal que había hecho.

Barbatrucco comprendió que el respeto a los demás, independientemente de su tamaño o fuerza, es esencial para construir relaciones sanas y duraderas. Aprendió que el poder puede utilizarse para hacer el bien y proteger a los más débiles, en lugar de para dañar e intimidar.

Y así, Barbatrucco se convirtió en aliado de los pueblos y ratones de los alrededores, y todos aprendieron que, aunque seamos diferentes y tengamos capacidades distintas, siempre podemos encontrar la manera de vivir en paz y armonía unos con otros.

Philip el gatito

Érase una vez un gatito llamado Felipe, al que le encantaba jugar y saltar por todas partes. Pero Felipe tenía un defecto: era muy selectivo con sus compañeros de juego. Prefería jugar sólo con gatos que se parecieran a él, y a menudo se negaba a jugar con gatos de otra raza.

Un día, mientras Philip se divertía jugando solo, un gato callejero se le acercó y le pidió jugar juntos. Felipe, sin embargo, lo rechazó de inmediato, diciendo que el gato callejero no era lo bastante mono ni divertido como para jugar con él.

Pero entonces, Felipe empezó a pensar en cómo se sentía cuando los demás no querían jugar con él sólo porque era diferente. Se dio cuenta de que no era justo excluir a los demás sólo porque eran diferentes, y decidió cambiar.

Volvió junto al gato callejero y le preguntó si quería jugar con él. El gato callejero, sorprendido por la amabilidad de Felipe, aceptó y empezaron a jugar juntos.

Poco a poco, Philip empezó a descubrir la belleza de jugar con gatos diferentes, aprender cosas nuevas y divertirse con compañeros de juego que nunca imaginó que conocería.

A partir de ese día, Philip empezó a jugar con todos los gatos que encontraba, sin poner problemas por su raza o aspecto. Se dio cuenta de que la diversidad es algo hermoso, y de que todos pueden aprender y divertirse juntos si se dan una oportunidad.

Y así, Felipe aprendió la importancia de abrir el corazón a los demás y de no juzgar a los demás basándose en las apariencias, y todos aprendieron que cuando estamos abiertos y acogemos a los demás, la vida se vuelve más rica y agradable.

Bruno el Jabalí

Érase una vez un gran jabalí llamado Bruno, que vivía en el bosque. Bruno era muy temido por los demás animales, porque era muy grande y tenía unos colmillos grandes y afilados.

Un día, mientras buscaba comida en el bosque, Bruno se encontró con una cría de ciervo. El cachorro, que era muy tímido, tuvo miedo de Bruno e intentó huir.

Pero Bruno se detuvo y dijo a la cría de ciervo: "No tengo intención de hacerte daño. Sólo soy un jabalí que busca comida como tú".

La cría de ciervo, todavía asustada, preguntó a Bruno por qué tenía unos colmillos tan grandes y afilados. Bruno le explicó que sus colmillos eran sólo una herramienta para conseguir comida y defenderse de los depredadores, pero que en realidad era un animal pacífico y tranquilo.

El pequeño ciervo, sorprendido por la amabilidad de Bruno, empezó a hablar y a jugar con él. Poco a poco, el pequeño ciervo se dio cuenta de que Bruno no era un animal tan temible como pensaba, sino un amigo fiable y protector.

Bruno y el bebé ciervo se hicieron grandes amigos y enseñaron a los demás animales del bosque que nunca hay que juzgar por las apariencias. Aprendieron que, aunque las personas parezcan diferentes o den miedo, siempre pueden tener un corazón amable y amistoso.

Y así, Bruno y el bebé ciervo aprendieron la importancia de mirar más allá de las apariencias y encontrar la belleza y la amistad en todos los seres vivos, y todos aprendieron que cuando somos abiertos y amables con los demás, podemos crear lazos irrompibles de amistad y respeto.

El padre de Sofía

Érase una vez una niña llamada Sofía, que tenía un papá que trabajaba todo el día en una oficina. Sofía se sentía a menudo sola y triste porque su papá nunca estaba en casa con ella, pero comprendía que el trabajo era importante para el sustento de la familia.

Un día, Sofía decidió escribirle una carta a su papá, expresándole todo su amor y su falta de él. Mientras tanto, el papá de Sofía, que había leído la carta, decidió prepararle una sorpresa a su pequeña.

Cuando Sofía volvió del colegio, encontró a su papá en casa, con un regalo para ella. Sofía estaba contenta y sorprendida, y su papá le explicó que se había tomado el día libre para pasar tiempo con ella.

Sofía y su padre pasaron un día entero juntos, haciendo actividades divertidas como ir al parque, cocinar juntos y ver una película. Sofía se dio cuenta de cuánto la quería su padre y de lo importante que era para él dedicarle tiempo.

A partir de ese día, Sofía empezó a escribir a su papá siempre que sentía que estaba ausente, y su papá siempre intentaba sacar tiempo para ella, aunque estaba muy ocupado en el trabajo.

Sofía aprendió la importancia de querer a su papá aunque a menudo estuviera fuera por negocios, y todos aprendieron que, a pesar de las dificultades de la vida cotidiana, el amor y el cariño siempre están presentes y pueden superar cualquier distancia.

Roberto el Rinoceronte

Érase una vez un rinoceronte llamado Roberto, que vivía en la sabana. Roberto era un animal muy fuerte y poderoso, pero a menudo destruía árboles y vegetación en sus viajes.

Un día, mientras paseaba por la sabana, Roberto se encontró con una pareja de antílopes que intentaban reparar su nido, destruido por una tormenta. Roberto se ofreció a ayudarles, pero los antílopes lo rechazaron porque temían que destruyera aún más su nido.

Roberto se dio cuenta entonces de que sus acciones estaban perjudicando a la naturaleza en lugar de protegerla. Por eso decidió cambiar y empezó a cuidar la sabana en lugar de destruirla. Empezó a moverse más despacio y a evitar destruir las plantas y los árboles.

Con el tiempo, Roberto se dio cuenta de que cuidar la naturaleza era lo correcto. Se unió a otros animales de la sabana para limpiar la zona de basura y proteger a los animales que vivían allí.

Los demás animales de la sabana, sorprendidos por el cambio de Roberto, le elogiaron por su compromiso con la protección de la naturaleza. Roberto se dio cuenta de que el respeto por la naturaleza era fundamental para mantener el equilibrio ecológico y proteger a todos los seres vivos.

Y así, Roberto aprendió la importancia de respetar la naturaleza y proteger el medio ambiente, y todos aprendieron que cuando estamos atentos a la naturaleza y a sus necesidades, podemos crear un mundo más sano y armonioso para todos.

.

Tommaso y Giulia

Érase una vez un niño llamado Tomás y una niña llamada Julia, que eran grandes amigos y les encantaba explorar juntos la naturaleza. Un día, mientras caminaban por un sendero del bosque, se encontraron con un grupo de animales que vivían allí.

Thomas y Julia estaban entusiasmados por ver a los animales, pero pronto se dieron cuenta de que algunos de sus amigos eran un poco tímidos y estaban asustados. En lugar de intentar acercarse y tocar a los animales, Thomas y Julia se sentaron junto a ellos y empezaron a hablarles, contándoles historias y cantándoles canciones.

Poco a poco, los animales empezaron a sentirse a gusto con los niños y se acercaron para jugar e interactuar. Thomas y Julia se aseguraron de no hacer nada que pudiera herir a los animales, respetando su espacio y escuchando sus necesidades.

Al cabo de un rato, los niños tuvieron que marcharse, pero prometieron volver pronto. Thomas y Julia comprendieron la importancia de respetar a los animales y no hacerles daño, pero siempre intentando interactuar con ellos de forma amable y respetuosa.

Y así, Thomas y Julia aprendieron la importancia de respetar a los animales y coexistir pacíficamente con ellos, y todos aprendieron que cuando somos respetuosos con los animales y la naturaleza, podemos crear un mundo más armonioso y equilibrado para todos.

Gnagno la araña

Érase una vez una araña llamada Gnagno, que vivía en un hermoso prado verde. Gnagno era una araña muy hábil, que construía sus telas de forma intrincada y precisa.

Pero muchos animales de la pradera temían a Gnagno y a menudo intentaban destruir sus telarañas porque las consideraban molestas. Él estaba triste porque no entendían su papel en el ecosistema, y que sus telarañas eran esenciales para atrapar plagas.

Un día, un grupo de plagas invadió el prado y empezó a comerse todas las plantas. Gnagno decidió hacer algo para ayudar a los animales del prado y empezó a construir una enorme tela de araña para atrapar a las plagas.

Los animales de la pradera, asustados al principio, se dieron cuenta de la importancia de su telaraña y empezaron a respetar su papel en el ecosistema. Gracias a su habilidad y valentía, Gnagno salvó la pradera y a todos los animales que vivían en ella.

A partir de ese día, Gnagno se convirtió en un héroe para los animales del prado, y todos aprendieron la importancia de respetar el papel de los insectos y las arañas en el ecosistema. Gnagno enseñó a todos que cada animal tiene un papel importante que desempeñar y que todos deben ser respetados para garantizar el equilibrio y la belleza de la naturaleza.

Al final de todo el asunto, Gnagno aprendió la importancia de su papel en el ecosistema y enseñó a todos los animales de la pradera a respetar a los demás seres vivos y a comprender la importancia de cada criatura en la naturaleza.

La importancia de la escuela

Érase una vez un niño llamado Luca, al que le encantaba jugar y divertirse. A menudo, durante las clases en el colegio, Luca se distraía con facilidad y no prestaba mucha atención a lo que decía el profesor.

Un día, Luca encontró un libro especial en la biblioteca del colegio. Era un libro sobre un mundo fantástico, lleno de aventuras y descubrimientos sorprendentes. Luca se enamoró del libro y empezó a leerlo con avidez, descubriendo cosas maravillosas y aprendiendo muchas cosas nuevas.

Pero cuando terminaron las clases y Luca volvió a casa, se dio cuenta de que no había aprendido mucho durante el día, y se sintió triste y decepcionado. Se dio cuenta entonces de que, aunque el libro era estupendo, la única forma de aprender de verdad era ir a la escuela y prestar atención durante las clases.

Así que Luca decidió esforzarse más en la escuela, escuchar atentamente al profesor y hacer los deberes con precisión. Con el tiempo, sus notas mejoraron y sus conocimientos aumentaron. Empezó a comprender la importancia de la educación y del trabajo duro, y se dio cuenta de que sólo así podría descubrir cosas nuevas y fantásticas como en el libro que había encontrado.

Y así, Luke aprendió la importancia de ir bien en la escuela y de esforzarse por aprender cosas nuevas, y todos aprendieron que la educación y el trabajo duro son esenciales para tener éxito en la vida y para descubrir el mundo que nos rodea.

Recuerda, ¡la escuela es muy importante!

Buenos modales

Érase una vez una familia de ratones a los que les encantaba comer juntos en la mesa. Pero a menudo, durante las comidas, los ratones se comportaban mal: masticaban ruidosamente, hablaban con la boca llena y hacían ruidos.

Un día, una familia de conejos pasó por allí y vio cómo se comportaban los ratones en la mesa. Los conejos eran muy educados y respetuosos, y decidieron enseñar a los ratones a comportarse correctamente en la mesa.

Los ratones estaban un poco avergonzados al principio, pero los conejos les animaron a seguir sus modales. Empezaron a masticar despacio, a no hablar con la boca llena y a utilizar correctamente los cubiertos.

Poco a poco, los ratoncitos empezaron a disfrutar en la mesa, incluso con sus modales. Su madre estaba muy contenta de ver lo mucho que habían crecido y aprendido. Con el tiempo, los ratoncitos se volvieron hábiles y precisos en la mesa, y sus buenos modales hicieron que la hora de comer fuera aún más agradable.

A partir de ese día, los ratoncitos comprendieron la importancia de los buenos modales en la mesa y aprendieron que los buenos modales no sólo eran importantes para respetar a los demás, sino también para disfrutar plenamente de las comidas y compartir momentos de alegría y convivencia en familia.

Y así, los ratones se hicieron famosos por sus modales en la mesa y enseñaron a todo el mundo la importancia de comportarse educadamente durante las comidas, respetando a los demás y haciendo que compartir la comida con la familia fuera aún más agradable.

La zarigüeya maleducada

Érase una vez una zarigüeya llamada Olivia, que era muy buena haciendo sus cosas, pero a menudo respondía mal a los adultos que la corregían. Olivia pensaba que ellos ya lo sabían todo y no tenían derecho a decirle lo que tenía que hacer.

Un día, mientras Olivia buscaba comida, se encontró con un viejo búho que la miró y le dijo: "Hola Olivia, ¿cómo estás hoy?". Pero en lugar de responderle amablemente, Olivia le miró mal y le contestó groseramente.

El viejo búho, no ofendido, le dijo: "Querida Olivia, te comprendo. Sé que eres muy buena haciendo tus cosas, pero a veces los adultos te corrigen porque saben cosas que tú no sabes. No contestes a los adultos sólo porque creas que no saben lo que hacen".

Olivia se sintió un poco avergonzada, pero se dio cuenta de que el viejo búho tenía razón. A partir de ese día, empezó a respetar a los adultos y a no responder mal cuando la corregían. Empezó a aprender de sus conocimientos y se dio cuenta de que, aunque era muy buena, siempre había algo que aprender.

Poco a poco, Olivia se volvió más capaz y respetuosa con los adultos, y todo el mundo empezó a notar su mejor comportamiento. Olivia también se sentía mucho más satisfecha y orgullosa de sí misma, sabiendo que había aprendido una valiosa lección.

Y así, la zarigüeya Olivia aprendió la importancia de no replicar a los adultos, sino aprender de sus conocimientos y experiencias. Y todos aprendieron que el respeto a los demás es un valor fundamental en la vida, que nos permite crecer y mejorar continuamente.

El gato Thomas

Érase una vez un gato llamado Thomas, que vivía en una gran casa con su familia humana. Thomas era un gato muy curioso y aventurero, al que le encantaba explorar todos los rincones de la casa y jugar con sus juguetes.

Un día, la familia de Thomas le trajo una gran bolsa de croquetas, que a Thomas le encantaba comer. Pero en lugar de dar las gracias, Thomas empezó a comer con avidez, sin mirar siquiera a sus amos.

Los dueños de Thomas se dieron cuenta de que el gato no había dado las gracias ni había agradecido su gesto. Así que decidieron enseñar a Thomas la importancia de dar las gracias.

Esa noche, cuando la familia de Thomas se sentó a cenar, Thomas saltó a la silla junto al amo y empezó a ronronear. El amo le dijo: "Gracias por estar con nosotros, Thomas. Nos gusta mucho tener tu compañía en la mesa".

Tomás no entendió inmediatamente el significado, pero cuando se lo explicaron, comprendió la importancia de dar las gracias y empezó a hacerlo siempre que alguien le hacía un favor o le daba de comer.

Con el tiempo, Thomas se convirtió en un gato aún más querido y respetado, porque había aprendido la importancia del respeto y la gratitud. Y todo el mundo aprendió que dar las gracias es una forma importante de respeto y agradecimiento a las personas que están cerca de nosotros y nos ayudan en la vida.

Y así, el gato Tomás aprendió la importancia de dar las gracias y enseñó a todos que la gratitud es un valor fundamental en la vida, que nos permite establecer relaciones positivas con los demás y apreciar lo que tenemos.

El niño y el heladero

Érase una vez un niño llamado Carlo, al que le encantaba comer helado de fresa. Un día, mientras paseaba solo por la calle, Carlo se encontró con un vendedor de helados que le ofreció helado de fresa gratis.

Carlo se alegró y dio las gracias al heladero, pero entonces notó algo extraño: el heladero le preguntó si quería seguirle a un lugar más tranquilo para comer helado. Carlo se asustó y se dio cuenta de que no era seguro fiarse de un desconocido.

Carlo le dio las gracias al heladero, pero le dijo que no, luego corrió a casa de su madre y se lo contó todo. La madre de Carlo lo abrazó y le dijo que había hecho bien en no fiarse de un desconocido.

Charles se dio cuenta entonces de que no era seguro hablar o seguir a un desconocido, aunque pareciera simpático y amable. Empezó a pedir ayuda a sus padres o a un adulto de confianza cuando tenía problemas, en lugar de intentar resolverlo todo él solo.

Con el tiempo, Charles adquirió más confianza y aprendió a no fiarse de los extraños, sino a pedir ayuda a un adulto de confianza. Y todos aprendieron que la seguridad y la precaución son importantes cuando se conocen extraños, para protegerse a sí mismos y a los demás.

Así, Charles aprendió la importancia de no fiarse de los extraños y de pedir ayuda a sus padres o a un adulto de confianza. Y enseñó a todos que la prudencia y la seguridad son fundamentales en la vida, para protegerse a uno mismo y a los demás de las personas que pueden hacer daño.

Luke el ratón y los idiomas

Érase una vez un ratoncito llamado Luca, que vivía en una gran ciudad. Luca era muy curioso y quería explorar el mundo, pero sólo sabía hablar su lengua materna, el ratón.

Un día, Luca se encontró con un ratón extranjero que hablaba una lengua que él no entendía. Luca se sintió un poco perdido, pero luego se dio cuenta de que el ratón extranjero hablaba una lengua diferente a la suya y que era importante aprenderla.

Así que Luca decidió aprender la lengua extranjera y empezó a estudiar con diligencia. Con el tiempo, fue capaz de hablar el nuevo idioma con fluidez y descubrió un mundo de nuevas culturas y gentes.

Luca se dio cuenta de que aprender lenguas extranjeras le había ayudado a conocer gente y culturas diferentes, y le había abierto la mente a nuevas perspectivas.

Y así, el ratón Luke aprendió la importancia de aprender lenguas extranjeras y descubrir el mundo. Y enseñó a todos que aprender lenguas extranjeras no sólo nos ayuda a comunicarnos con gente diferente, sino que también nos abre la mente y nos enriquece como personas.

Y así, cuando sientas curiosidad y quieras conocer el mundo, no olvides nunca aprender lenguas extranjeras, porque aprenderlas nos permite conectar con el mundo y convertirnos en ciudadanos del mundo. Buenas noches.

Marco el cerdito

Érase una vez un cerdo llamado Marco, que era muy gordo y pesado. A Marco le encantaba comer todo lo que encontraba, y por eso engordaba cada vez más. Pero un día conoció a otro cerdo llamado Juan, que era delgado y ágil.

Giovanni empezó a burlarse de Marco por su aspecto físico, diciéndole que estaba demasiado gordo y que no podía moverse con facilidad. Marco se sintió triste y decepcionado porque no podía hacer nada para cambiar su aspecto físico.

Un día, sin embargo, un feo lobo vino en busca de comida al bosque donde vivían los dos cerdos. Cuando llegó a la cabaña de Juan, el lobo vio que estaba demasiado flaco para ser una presa apetitosa y se marchó sin comer nada. Pero cuando llegó a la cabaña de Marco, el lobo vio que estaba demasiado gordo para poder moverse rápido y le atacó.

Juan, al ver la situación, corrió a salvar a su amigo Marco. Pero no fue fácil: Marco estaba tan gordo que no podía huir rápidamente del lobo. Finalmente, sin embargo, con la ayuda de Giovanni, consiguió escapar y el lobo se fue con las manos vacías.

Marco se dio cuenta entonces de que no estaba bien burlarse de los demás por su aspecto físico, porque cada persona, animal o criatura es única y preciosa a su manera.

Se dio cuenta de que era importante respetar a los demás por lo que son, independientemente de su aspecto físico.

Y así, Marco y Giovanni se hicieron grandes amigos, aprendiendo la importancia del respeto mutuo y la amabilidad. Y enseñaron a todos que nunca hay que burlarse de los demás por su aspecto físico, sino respetarlos por lo que son y por su valor único.

Por eso, recuerda siempre que cada persona, animal o criatura es especial a su manera, independientemente de su aspecto físico. Buenas noches.

Sara y Rocky

Érase una vez una niña llamada Sara, que deseaba tener un perro de mascota. La niña rogaba a sus padres que le compraran un perro, pero ellos se mostraban reacios, porque no sabían cómo cuidar de una mascota.

Pero un día, mientras la niña paseaba por un parque, conoció a un perro llamado Rocky. Rocky era un perrito muy simpático y alegre, y la niña se enamoró inmediatamente de él.

La niña pronto se dio cuenta de que cuidar de un perro requiere mucha responsabilidad y atención, pero también mucha alegría y felicidad. Así que empezó a pedir a sus padres que estudiaran cómo cuidar de un perro, y aprendió todo lo que había que saber.

La niña y el perro Rocky se hicieron amigos inseparables, jugaban juntos, paseaban por el parque y se relajaban juntos. La niña cuidaba de Rocky, lo llevaba al veterinario, le limpiaba el pelaje, le daba comida sana y le recompensaba con deliciosas croquetas.

La niña se dio cuenta de que tener un perro significa cuidarlo todos los días, pero también recibir a cambio el cariño y la lealtad de un amigo fiel. Comprendió que era importante respetar a su amigo de cuatro patas y no descuidarlo, sino quererlo y tomárselo en serio.

Y así, Sara y Rocky enseñaron a todos la importancia de tener un perro como amigo, y de cuidarlo con mimo y cariño. Y recordaron a todos que la relación entre un perro y su dueño puede ser una de las cosas más bellas y preciosas de la vida.

Por eso, si tienes perro, acuérdate de cuidarlo todos los días, porque el amor y la lealtad de tu fiel amigo no tienen precio. Buenas noches.

Hombres contra mujeres

Érase una vez un niño llamado Luca, al que le encantaba jugar con sus amigos en el parque. Un día conoció a una niña llamada Martina, que estaba jugando sola.

Luca decide acercarse a Martina e invitarla a jugar con él y sus amigos. Pero cuando llegaron los otros amigos de Luca, empezaron a burlarse de Martina por ser una niña.

Luca se sintió incómodo y se dio cuenta de que no estaba bien burlarse de los demás por su sexo. Enseñó a sus amigos que las chicas eran tan buenas y valientes como los chicos, y que era importante respetarlas y tratarlas con amabilidad.

Con el tiempo, Luca y sus amigos aprendieron a jugar juntos de forma justa y respetuosa, y Martina se convirtió en una gran amiga para ellos. Comprendieron que la diferencia entre niños y niñas no debe ser una excusa para burlarse o tratar a los demás de forma despectiva.

Y así, Luke enseñó a sus amigos la importancia de respetar a las niñas y a todos sus compañeros, independientemente de su sexo. Y les enseñó que solo a través del respeto y la amabilidad podemos construir relaciones duraderas y significativas con los demás.

Por eso, recuerda siempre respetar a las chicas y no burlarte de ellas por su sexo. El respeto mutuo es la base de cualquier relación positiva y duradera. Buenas noches.

El dragón y el caballero

Érase una vez un feroz dragón llamado Zafiro, que vivía en una cueva en lo alto de una montaña. Zafiro era un dragón muy poderoso, y asustaba a todo el que intentaba acercarse a su cueva.

Un día, un valiente caballero llamado Marco decidió desafiar a Zafiro y librar a la aldea vecina de su amenaza. Marco sabía que Zafiro era muy fuerte, pero tenía un corazón lleno de valor y determinación.

El caballero se preparó para la batalla, montando en su caballo y armado con una afilada espada. Se dirigió hacia la montaña y subió hasta la cueva de Zafiro.

Cuando llegó a la cueva, Marco encontró a Zafiro esperando. Zaffiro era mucho más grande de lo que el caballero esperaba, pero no se dejó intimidar. Se acercó al dragón y empezó a hablarle.

Marco se dio cuenta de que Zafiro había sido herido en el pasado y por eso se había convertido en un dragón feroz y solitario. El caballero empezó a hablar a Zafiro con amabilidad y respeto, demostrándole que no quería hacerle daño, sino sólo ayudarle a curarse.

Con el tiempo, Zafiro empezó a confiar en Marco y se mostró abierto a su ayuda. Marco le ayudó a curar sus heridas y a encontrar un lugar en el mundo donde poder vivir en paz y tranquilidad.

Y así, Marco y Zafiro se convirtieron en amigos inseparables, enseñando a todos que incluso los dragones feroces pueden tener corazones bondadosos y necesitar amigos. Y que solo a través del respeto y la amabilidad podemos curar heridas y crear relaciones positivas y duraderas con los demás.

Por eso, recuerda siempre tratar a los demás con respeto y amabilidad, aunque parezcan temibles o feroces. Puede que descubras que tienen un corazón bondadoso y necesitan amigos, igual que tú. Buenas noches.

La vaca gruñona

Érase una vez una vaca llamada Margarita, que vivía en una granja. Margarita siempre estaba enfadada y malhumorada con todos los animales de la granja. Se quejaba constantemente del trabajo que tenía que hacer y de que los demás animales no hacían lo suficiente por ayudarla.

Un día, la granja fue azotada por una tormenta y todos los animales se vieron obligados a trabajar juntos para reparar los daños causados por el viento y la lluvia. Marguerite seguía quejándose y refunfuñando contra todos, pero los demás animales no se rindieron y siguieron trabajando duro.

Al final, la granja quedó reparada y todos los animales se felicitaron por el trabajo bien hecho. Pero Margarita se sentía sola y triste, porque había perdido la amistad de los demás animales por su comportamiento gruñón.

Se dio cuenta de que su actitud había perjudicado a los demás y que era hora de cambiar. Así que decidió disculparse ante los demás animales y pedirles ayuda para convertirse en una vaca mejor.

Los demás animales aceptaron las disculpas de Margarita y la ayudaron a mejorar. Le enseñaron a trabajar en armonía y a no quejarse tanto, sino a agradecer lo que tenía.

Margaret se dio cuenta de que la vida puede ser mucho más agradable cuando se trabaja en equipo y se aprecia lo que se tiene. Empezó a ser una vaca más feliz y menos gruñona, y pronto encontró amistad con los demás animales de la granja.

Y así, Margaret enseñó a todos la importancia del respeto y la amistad, y cómo el cambio puede conducir a un futuro mejor. Y recordó a todos que, incluso cuando nos sentimos tristes o enfadados, siempre podemos pedir ayuda y mejorar. Buenas noches.

John y los aviones

Érase una vez un niño llamado Giovanni que tenía un gran sueño: ser piloto de avión. A Giovanni le encantaba ver volar los aviones por el cielo y se imaginaba que él también sería piloto.

John sabía que no sería fácil, pero nunca se rindió. Empezó a leer libros y a ver documentales sobre aviones, intentando aprender todo lo que podía sobre su tecnología y sistemas de vuelo.

Un día, John decidió escribir una carta a un piloto de avión al que admiraba mucho, pidiéndole consejo sobre cómo convertirse él mismo en piloto. El piloto le respondió con una carta muy amable y le animó a perseguir su sueño.

John siguió estudiando y aprendiendo cada vez más sobre tecnología aeronáutica y las habilidades necesarias para convertirse en piloto. Al final, su empeño y determinación dieron sus frutos: consiguió entrar en una escuela de vuelo y convertirse en piloto de avión.

Giovanni volaba por todo el mundo, llevando personas y mercancías de un lugar a otro. Pero sabía que su éxito sólo era posible gracias a su constante dedicación y empeño en perseguir su sueño.

Y así, John enseñó a los niños que uno nunca debe renunciar a sus sueños, sino perseverar y trabajar duro para alcanzarlos. Y que sólo a través de la determinación y el esfuerzo constante se puede alcanzar el éxito. Buenas noches.

El poder de la caridad

Érase una vez un rey que era muy rico y poderoso, pero también muy egoísta y codicioso. No se preocupaba por los demás y nunca hacía nada para ayudar a los necesitados.

Un día, un pobre mendigo llegó a la puerta del palacio del rey y le pidió comida y cobijo para pasar la noche. Pero el rey lo rechazó, diciendo que no tenía tiempo para los pobres y los desamparados.

El viejo mendigo se marchó triste y decepcionado, y se detuvo bajo un árbol a descansar. Pero mientras estaba allí sentado, una pequeña hormiga se le acercó y le preguntó si necesitaba ayuda.

El anciano respondió que tenía hambre y que no tenía nada que comer. La hormiga salió corriendo y volvió con unas hojas de higuera y un poco de miel, que el anciano comió con gratitud.

El viejo mendigo se sintió tan conmovido por la ayuda que recibió de la hormiga que decidió hacer lo mismo por los demás y empezar a dar caridad a los necesitados.

Comenzó a recoger comida y ropa para los pobres, y pronto mucha gente se le unió en su obra de caridad. La noticia de sus buenas acciones se extendió por todo el reino y llegó incluso a oídos del rey.

El rey, que seguía siendo muy egoísta y codicioso, empezó a avergonzarse de su comportamiento y decidió hacer algo bueno por primera vez en su vida. Empezó a hacer caridad y a ayudar a los pobres, y con el tiempo se convirtió en un rey muy querido y respetado por su pueblo.

Y así, la hormiguita enseñó al viejo mendigo y al rey la importancia de dar caridad y ayudar a los demás. Y todos aprendieron que incluso las pequeñas acciones pueden marcar una gran diferencia en la vida de los demás.

Dulces sueños

volumen 2

Cuentos infantiles para dormir

Alessandro Volga

Título: Dulces sueños Volumen 2 - cuentos infantiles para dormir

Autor : Alessandro Volga

Primera edición: julio de 2023

La rata valiente y el elefante manso

Érase una vez, en un gran bosque, un ratoncito llamado Nico. Nico era valiente e ingenioso, siempre dispuesto a buscar aventuras y probar cosas nuevas.

En el mismo bosque vivía un elefante gigante llamado Goliat. Goliat era manso y tranquilo y, a pesar de su tamaño, siempre temía hacer daño a los demás.

Un día, mientras Nico exploraba el bosque, oyó un ruido muy fuerte. Siguiendo el sonido, encontró a Goliat, que gemía de dolor. Un gran clavo se le había clavado en la pata.

A pesar de su miedo, Nico sabía que tenía que ayudar. "No te preocupes, Goliat", dijo Nico, "te ayudaré a quitarte ese clavo". Pero Goliat estaba preocupado. "Pero eres tan pequeño, Nico. Tengo miedo de hacerte daño", dijo Goliat.

"No hay problema, Goliat", respondió Nico, "¡Soy pequeño, pero soy valiente!".

Con gran cautela, Nico se puso manos a la obra. Se subió a la pata de Goliat y empezó a mordisquear el clavo, intentando sacarlo. Al cabo de un rato, para alivio de Goliat, el clavo salió.

"Gracias, Nico", dijo Goliat, sonriendo. "Eres muy valiente".

Desde ese día, Goliat y Nico se convirtieron en los mejores amigos. A pesar de sus diferencias de tamaño y personalidad, siempre se ayudaron mutuamente, demostrando que la verdadera amistad no entiende de tamaños.

Y a partir de entonces, todos en el bosque conocieron la historia del valiente ratón y el gentil elefante, un ejemplo de cómo la valiente pequeñez y la gentil grandeza pueden caminar juntas, de la mano.

Y así acabaron sus días, felices para siempre, enseñando a todos el valor del valor, la bondad y la amistad.

Dino, el dinosaurio curioso y la estrella fugaz

Érase una vez un joven dinosaurio llamado Dino. Dino era un Triceratops, conocido por sus tres afilados cuernos y su gran corazón curioso. Vivía en una época muy, muy lejana, en la que los dinosaurios dominaban la Tierra.

Una noche, mientras Dino miraba al cielo estrellado, vio una luz brillante que cruzaba el firmamento. ¡Era una estrella fugaz! Dino, con su espíritu curioso, decidió seguir el rastro de la estrella fugaz, con la esperanza de encontrar dónde había caído.

Tras un largo viaje a través de bosques, montañas y ríos, Dino llegó por fin a un valle donde se había posado la estrella fugaz. Pero en lugar de encontrar una roca llameante, como había esperado, encontró un pequeño dinosaurio llorón.

Era un pequeño pterodáctilo que se había perdido y no encontraba el camino a casa. Había visto la estrella fugaz e intentó seguirla, pero al final se perdió.

Dino, al ver al pequeño y triste Pterodáctilo, decidió ayudarle. "No te preocupes, amiguito", dijo Dino. "Te ayudaré a encontrar tu hogar".

Y así, Dino cogió al bebé Pterodáctilo sobre sus hombros y juntos iniciaron el viaje para encontrar el hogar del Pterodáctilo. Después de muchas aventuras y encuentros, finalmente llegaron a una gran montaña donde vivían los Pterodáctilos.

El pequeño Pterodáctilo agradeció a Dino su ayuda y prometió ayudarle si alguna vez lo necesitaba. A partir de ese día, Dino y el pequeño Pterodáctilo se hicieron grandes amigos y vivieron muchas aventuras juntos.

Dino aprendió que seguir la propia curiosidad puede conducir a descubrimientos maravillosos y a nuevas amistades. Y aunque la estrella fugaz no era lo que esperaba, se alegró de haberla seguido, porque había encontrado algo aún más valioso: un nuevo amigo.

Y desde aquel día, cada vez que veía una estrella fugaz, Dino sonreía recordando su fantástica aventura.

Luna, luciérnaga y el misterio de la noche

Érase una vez una pequeña luciérnaga llamada Luna. Luna era especial porque, a diferencia de otras luciérnagas, su pequeño cuerpo brillante tenía un delicado color azul, parecido al del cielo al atardecer.

Luna vivía en un tranquilo claro, rodeada de majestuosos árboles y coloridas flores. Todas las noches salía a bailar y jugar con las demás luciérnagas, creando un espectáculo de luces centelleantes en el cielo nocturno.

Una noche, sin embargo, Luna notó que algo iba mal. No había luna. Sin su luz, el claro estaba oscuro y sombrío. Las demás luciérnagas estaban preocupadas y no se atrevían a salir a jugar.

"No temas", dijo Luna, "iré a buscar la luna y averiguaré por qué no brilla esta noche".

Y así, Luna voló alto en el cielo, en busca de la Luna. Sobrevoló las montañas, cruzó las nubes, hasta que por fin la encontró. Pero la Luna parecía triste.

"¿Por qué estás triste, Luna?", preguntó la pequeña luciérnaga.

"Estoy triste porque he perdido mi resplandor", respondió la Luna. "No encuentro mi luz".

Luna se lo pensó un momento. "Tal vez pueda ayudarte", dijo. Y empezó a bailar alrededor de la Luna, dejando una estela de luz azul.

La luna, al ver bailar a la luciérnaga, empezó a sonreír. Su superficie empezó a brillar, primero tenuemente, luego cada vez más, hasta iluminar todo el cielo nocturno.

"Gracias, Luna", dijo la Luna. "Me has devuelto la luz".

Luna regresó al claro, seguida por la luz de la luna. Las demás luciérnagas, al ver la luz, salieron a bailar de nuevo, llenando la noche de luces titilantes.

Y desde ese día, cada vez que la luna parecía perder su brillo, Luna volaba alto en el cielo, danzando a su alrededor para devolverle la luz.

Y así, todas las noches en el claro estaban llenas de luz y alegría, gracias a la pequeña luciérnaga que había traído de vuelta la luz de la luna.

Y así, terminaron sus días, felices para siempre, bajo el dulce resplandor de la luna.

Y ahora, querido lector, es hora de irse a la cama. Dulces sueños.

La princesa Serenella y el espejo del alma

Érase una vez, en un reino lejano y etéreo, una princesa de belleza incomparable llamada Serenella. Dotada de una cabellera de ébano y unos ojos tan brillantes que rivalizaban con las estrellas nocturnas más resplandecientes, Serenella era amada por todos sus súbditos por su innata bondad de espíritu y su intrépida sabiduría.

En el corazón de su reino, en una antigua torre de marfil, se guardaba un antiguo artefacto: el Espejo del Alma. Se decía que éste podía reflejar la verdadera esencia de quienes se reflejaban en él, mostrando no la apariencia física, sino el corazón y el alma del reflector.

Un día, un malvado hechicero, atraído por la fama del espejo, irrumpió en el reino con la intención de apoderarse de él. Creía, en efecto, que el espejo podía revelarle el secreto de la eterna juventud.

La princesa Serenella, con gran valor, decidió enfrentarse al hechicero para proteger el preciado artefacto. "El Espejo del Alma no es un juguete que se utilice para la propia vanidad", dijo con firmeza. "Sirve para revelar la verdad del alma, no para distorsionarla".

El hechicero, burlón, se acercó al espejo, confiado en su éxito. Pero cuando se reflejó en él, en lugar de de eterna juventud, sólo vio un reflejo de maldad y codicia. Asustado por lo que vio, el hechicero huyó del reino, jurando no volver jamás.

La princesa Serenella se miró entonces en el espejo. Vio el reflejo de una princesa sabia y valiente, una imagen de bondad y fortaleza que brillaba más que cualquier joya.

Desde aquel día, el reino estuvo a salvo y Serenella siguió reinando con sabiduría y justicia. Y el Espejo del Alma, ese misterioso artefacto, siguió siendo un símbolo de verdad y honestidad, un recordatorio de que la verdadera belleza no reside en la apariencia, sino en el corazón.

Y así, en aquel reino lejano, se transmitió la historia de la princesa valiente y el espejo mágico, un cuento que llevaba consigo una valiosa lección: la belleza más auténtica es la del alma.

Fuffi, el simpático dragón, y Stella, el unicornio caprichoso

En un mundo lleno de magia, había un dragón llamado Fuffi. Fuffi no era como los demás dragones. No le gustaba respirar fuego ni hacer ruidos fuertes. A Fuffi le gustaba cantar y hacer amigos.

En un hermoso prado cercano a la casa de Fuffi vivía un caprichoso unicornio llamado Stella. Stella tenía un cuerno reluciente y corría tan rápido como el viento. Pero era un poco vanidosa y se creía la más bella de todas.

Un día, Fuffi voló al prado para jugar con Stella. Pero Stella no quería. "Eres un dragón", le dijo. "Los dragones son malos y feos. No quiero jugar contigo".

Fuffi se sintió muy triste. Pero no se rindió. "No todos los dragones son malos", dijo. "Yo soy amable y me gusta hacer amigos. Mira".

Así, Fuffi comenzó a cantar una dulce canción. Su voz era tan hermosa que todos los animales del prado se detuvieron a escucharla. Stella estaba asombrada. Nunca había oído una canción tan bonita.

Entonces, Fuffi cogió unas flores y se las llevó a Stella. "Para ti", dijo Fuffi. Stella miró las flores y sonrió. Eran hermosas y coloridas.

Stella se disculpó con Fuffi. "Me equivoqué contigo, Fuffi", dijo. "Eres amable y tu canción es preciosa. Me encantaría ser tu amiga".

Desde ese día, Fuffi y Stella se convirtieron en las mejores amigas. Jugaban juntos todos los días y Fuffi cantaba canciones para Stella. Todos en el prado estaban felices y en paz.

Y esta es la historia de Fuffi, el simpático dragón, y Stella, la díscola unicornio. Nos enseñan que no debemos juzgar a los demás por su apariencia, sino conocerlos por lo que realmente son.

Y ahora, querido lector, es hora de decir buenas noches. Dulces sueños.

Dragón de roca y dragón de fuego: la amistad que venció al destino

En un mundo de mitos y leyendas, vivían dos dragones muy diferentes: el Dragón de Roca y el Dragón de Fuego.

El Dragón de Roca era un dragón de montaña, de corazón generoso y piel arrugada como la roca. Vivía en las altas cumbres, entre las nieves perennes y los escarpados acantilados. Era fuerte y resistente y, a pesar de su aspecto rudo, tenía un alma bondadosa.

El Dragón de Fuego, por su parte, era un dragón de fuego, con un espíritu ardiente y escamas tan brillantes como las llamas. Vivía en las profundidades de un volcán, entre ríos de lava y rocas incandescentes. Era ágil y vivaz y, a pesar de su naturaleza impulsiva, poseía una gran sabiduría.

Los dos dragones, aunque muy diferentes, eran los mejores amigos. Se respetaban y se ayudaban mutuamente, uniendo sus fuerzas para proteger el mundo que amaban.

Un día, sin embargo, una gran sombra se cernió sobre su mundo. Un terrible monstruo de una dimensión oscura amenazaba con destruir todo lo que los dragones apreciaban. Los dos amigos, a pesar de sus poderosas habilidades, no pudieron derrotar al monstruo por sí solos.

Se enfrentaban a un dilema: podrían haber fusionado sus fuerzas en un solo poder, pero eso habría significado perder sus individualidades, convertirse en un solo dragón, el único capaz de derrotar al monstruo. Sin embargo, esto también habría significado perderse a sí mismos, sus esencias.

Tras reflexionar mucho, los dos amigos tomaron una decisión. Se dieron cuenta de que, para proteger el mundo que amaban y a sus seres queridos, estaban dispuestos a hacer el sacrificio.

Y así, con un valor indomable, el Dragón de Roca y el Dragón de Fuego se fundieron en un solo ser, un magnífico dragón con escamas de roca y llamas, el Dragón de la Tierra Ardiente.

El Dragón de la Tierra Ardiente se enfrentó al monstruo oscuro, su poder ahora amplificado por la unión de dos almas. Tras un épico enfrentamiento que hizo temblar la tierra, consiguió derrotar al monstruo y devolver la paz al mundo.

A pesar de su victoria, los dos dragones nunca volvieron a sus formas originales. Se habían convertido en un solo ser, un dragón que llevaba en sí mismo el ardor del fuego y la fuerza de la roca. Pero a pesar del sacrificio, no eran infelices.

Se dieron cuenta de que, aunque habían perdido sus individualidades, habían ganado algo igualmente valioso. Se habían convertido en un símbolo de unidad y fuerza, un emblema de amistad que había superado incluso las leyes de la naturaleza.

Y así, en los siglos venideros, la leyenda del Dragón de la Tierra Ardiente se transmitió de generación en generación, una historia de sacrificio, valor y, sobre todo, de amistad indomable.

El final.

Pin, el perro héroe

Érase una vez un perro llamado Spillo. Spillo no era un perro cualquiera, era un valiente perro de rescate, siempre dispuesto a ayudar a quien lo necesitara.

Spillo vivía en un pequeño pueblo de montaña. La gente del pueblo quería a Spillo por su dedicación y valentía. Spillo se pasaba el día entrenando, corriendo, saltando y nadando, porque sabía que para salvar vidas tenía que ser fuerte y rápido.

Un día, una terrible tormenta azotó el país. Llovía a cántaros, los vientos soplaban con fuerza y la gente estaba asustada. De repente, Spillo oyó un débil gemido procedente de la montaña.

Sin dudarlo un instante, Spillo se puso en marcha hacia la montaña. El viento soplaba con fuerza y la lluvia dificultaba el ascenso, pero Spillo no se dio por vencido. Siguió caminando, siguiendo los gemidos.

Finalmente, llegó a una pequeña cabaña medio destruida por la tormenta. Allí encontró a un gatito tembloroso y asustado, completamente solo. Pin se acercó al gatito y lo tranquilizó con un suave lametón.

Sin perder tiempo, Spillo cogió al gatito entre los dientes e inició el descenso. Era difícil y peligroso, pero Spillo estaba decidido a poner al gatito a salvo.

Tras un largo viaje, Spillo llegó por fin al pueblo. La gente se sintió aliviada al ver a Spillo y al gatito a salvo. Alabaron a Spillo por su valentía y su amor por los demás.

A partir de ese día, Spillo se convirtió en el héroe del país. Pero para Spillo no se trataba de ser un héroe. Era simplemente un perro al que le encantaba ayudar a los demás.

Y así, la historia de Spillo, el perro héroe, se contó por todo el país. Una historia de coraje, determinación y amor, que recordó a todos el valor de la amistad y la ayuda mutua.

La rana Rina y el sapo Rino: una amistad insólita

Érase una vez una rana llamada Rina que vivía en un hermoso estanque del bosque. Rina era un alma vivaz y alegre a la que le encantaba saltar de un nenúfar a otro, jugar con libélulas y disfrutar del frescor del agua.

No muy lejos de allí, en una vieja y húmeda madriguera, vivía un sapo llamado Rino. Rino era un poco brusco y no le gustaba demasiado la compañía, prefería pasar el tiempo persiguiendo insectos o disfrutando del frescor de su refugio.

Un día, Rina, curiosa como siempre, se aventuró a salir de su charca y acabó tropezando con la madriguera de Rino. Rino, sorprendido y un poco molesto, miró a la rana con desconfianza. "¿Qué haces aquí?", preguntó.

Rina, imperturbable, respondió: "¡Estaba explorando! Nunca había visto una madriguera como la tuya, Rino. Es tan chula y acogedora".

Rino, sorprendido por la respuesta de Rina, decide enseñarle su guarida. Pasaron el resto del día hablando y conociéndose mejor. Rina le contó a Rino sus aventuras en el estanque, mientras que Rino le contó a Rina la vida tranquila que llevaba.

A pesar de sus diferencias, Rina y Rino se hicieron amigos. Empezaron a pasar más tiempo juntos, explorando el bosque, jugando y enseñándose nuevos juegos.

Rina enseñó a Rino a saltar alto, mientras que Rino mostró a Rina cómo encontrar los mejores insectos.

Su vínculo demostró a todos los animales del bosque que, a pesar de las diferencias, es posible encontrar la amistad en cualquier lugar. La rana vivaracha y el sapo gruñón se hicieron inseparables, y su vínculo se convirtió en un ejemplo para todos.

La historia de Rana Rina y Rospo Rino nos enseña que la amistad no conoce diferencias, que uno puede encontrar un amigo en lugares y personas que no espera, y que la amistad puede hacer de la vida una maravillosa aventura.

Luna, la niña del viento

Érase una vez una niña llamada Luna. Luna era conocida en todo el pueblo por su espíritu indomable y su corazón valiente. No tenía miedo a nada y amaba la aventura por encima de todo.

Luna vivía en un pueblo al pie de una gran montaña. Se decía que en la cima de la montaña vivía un enorme pájaro de fuego, guardián de un tesoro inimaginable. Muchos habían intentado alcanzar la cima, pero ninguno lo había conseguido.

Un día, Luna decidió que escalaría la montaña. No por el tesoro, sino por la aventura. Quería ver al pájaro de fuego y demostrar a todos que no había nada que temer.

Así pues, Luna se aventuró a subir la montaña. El camino era difícil y estaba lleno de peligros, pero Luna no se amilanó. Saltó de roca en roca, trepando por escarpados acantilados y cruzando estrechos pasadizos.

Tras muchos días y noches, Luna llegó por fin a la cima de la montaña. Allí se encontró con el pájaro de fuego, un ser magnífico y terrible. El pájaro le preguntó por qué había desafiado a la montaña.

"No por tu tesoro", respondió Luna, "sino por la aventura. Para demostrar que no hay nada que temer".

El pájaro de fuego, sorprendido por la respuesta de la niña, se inclinó ante ella. "Tienes un corazón valiente, Luna. Eres digna de mi respeto".

Luna regresó a su aldea, no con un tesoro, sino con una historia increíble. Contó su encuentro con el pájaro de fuego y la aventura que había vivido. Los aldeanos la escucharon con admiración, y Luna se convirtió en un símbolo de valentía para todos.

Y así, la historia de Luna, la Niña del Viento, se sigue contando hoy en día. Una historia de valor, aventura y prueba de que no hay nada que temer cuando se tiene un corazón lleno de coraje.

El final.

El Tesoro de los Dos Padres

Érase una vez, en un reino lejano, dos padres: uno muy rico y otro muy pobre. El padre rico, el señor Diamante, poseía tierras y riquezas inimaginables, mientras que el padre pobre, el señor Piedra, tenía poco más que una pequeña choza y un corazón lleno de amor.

El Sr. Diamond vivía en un suntuoso palacio, con criados a su disposición y todo tipo de lujos. Pero a pesar de su riqueza, siempre estaba inquieto e insatisfecho. Siempre quería más, acumulando un sinfín de oro y joyas.

El Sr. Stone, en cambio, aunque vivía en una choza, siempre fue feliz. No tenía mucho, pero lo que tenía era más que suficiente. Compartía su comida con cualquiera que la necesitara y pasaba tiempo con sus vecinos, compartiendo historias y risas.

Los dos padres tenían un hijo. El hijo del Sr. Diamond tenía todo lo que podía desear, pero a pesar de ello se sentía solo y triste. El hijo del Sr. Stone, en cambio, a pesar de no tener mucho, siempre estaba contento, porque se sabía querido.

Un día, los dos chicos se encontraron. El hijo del Sr. Diamond, al ver lo feliz que era el otro chico a pesar de su pobreza, no podía entenderlo. Le preguntó

Sr. Stone cómo podía ser tan feliz sin toda la riqueza que él poseía.

El Sr. Stone respondió con una sonrisa: "El dinero puede comprar muchas cosas, pero no puede comprar la felicidad. La verdadera riqueza está en el amor, la amistad y el compartir. No tengo mucho, pero tengo suficiente. Tengo el amor de mi hijo, tengo el afecto de mis amigos y tengo la alegría de compartir lo que tengo. Este es mi tesoro".

Estas palabras afectaron profundamente al hijo del Sr. Diamond. Comprendió que la verdadera riqueza no se mide en oro y joyas, sino en el calor del corazón. Volvió a casa y le contó a su padre lo que había aprendido.

A partir de ese día, el Sr. Diamond empezó a darse cuenta de que su riqueza no le hacía feliz. Empezó a dedicar más tiempo a su hijo, a compartir su riqueza con los demás y a buscar la verdadera felicidad no en sus tesoros, sino en la gente que le rodeaba.

Y así, la historia de los dos padres nos enseña que la verdadera riqueza no reside en los bienes materiales, sino en las personas que amamos y en las relaciones que construimos. Porque, al final, el dinero va y viene, pero el amor y la amistad son los verdaderos tesoros que duran para siempre.

El final.

Sammy y el Gigante Gentil

Érase una vez un niño llamado Sammy. Sammy era un poco mayor que los demás niños de su edad y eso le convertía en objeto de burla de algunos de sus compañeros. A pesar de ello, Sammy tenía un corazón de oro y un amigo muy especial: un gentil gigante llamado Bongo, su amigo imaginario.

Bongo era grande y fuerte, como Sammy, pero también dulce y cariñoso. Siempre estaba ahí para Sammy, animándole cuando se sentía mal y haciéndole reír cuando estaba triste.

Un día, mientras Sammy jugaba en el parque, unos chicos mayores empezaron a burlarse de él por su peso. Sammy se sintió triste y humillado, pero Bongo le recordó: "No importa lo que los demás piensen de ti. Lo que importa es lo que tú pienses de ti mismo. Eres fuerte, bueno y querido. No dejes que nadie te haga sentir lo contrario".

Sammy se armó de valor con las palabras de Bongo y se levantó. Se volvió hacia los chicos y les dijo: 'Soy como soy. Soy mayor que vosotros, pero eso no me hace menos digno de vuestro respeto. Soy un buen amigo, soy amable y me preocupo por los demás. Eso es lo que realmente cuenta".

Los chicos se quedaron boquiabiertos. Nunca habían oído hablar a Sammy con tanta seguridad y respeto por sí mismo. Poco a poco, uno a uno, empezaron a disculparse y a marcharse.

A partir de ese día, ya no se rieron de Sammy. Los demás niños empezaron a verle como lo que realmente era: un amigo amable y cariñoso, igual que ellos. Sammy siguió jugando con Bongo, compartiendo aventuras y risas con su amigo gigante.

La historia de Sammy y Bongo nos enseña que todo el mundo es único y merece respeto, independientemente de su tamaño. El peso de una persona no determina su valía o sus méritos. Lo que realmente cuenta es la bondad, la empatía y el amor que somos capaces de compartir con los demás.

Arco Iris, el caballero de los mil colores

Érase una vez un valiente caballero llamado Arco Iris. Arco Iris era conocido en todo el reino por su colorida armadura, cada pieza de un color de arco iris diferente, y por su espíritu bondadoso y cariñoso.

Rainbow no era un caballero cualquiera. De hecho, Rainbow había nacido niña, pero por dentro siempre se había sentido como un niño. Cuando había crecido lo suficiente, había decidido vivir como se sentía por dentro, convirtiéndose en un valiente y respetado caballero.

Un día, una criatura maligna amenazó el reino. Los caballeros más fuertes fueron enviados a combatirla, pero uno a uno, fueron derrotados. Era el turno de Rainbow.

Antes de partir, algunos caballeros dijeron: "Arco iris, no eres como nosotros. ¿Cómo puedes esperar derrotar a la criatura?". Pero Rainbow respondió con una sonrisa: "No soy como vosotros, es cierto. Pero precisamente mi diversidad es mi fuerza".

Con el corazón lleno de valor, Rainbow se enfrentó a la criatura. Sin embargo, en lugar de atacar, Rainbow habló con la criatura. Descubrió que la criatura estaba enfadada porque se sentía sola e incomprendida, igual que Rainbow se había sentido una vez.

Rainbow le contó a la criatura su viaje, cómo había encontrado el valor para ser él mismo a pesar de sus diferencias. La criatura se sintió conmovida por las palabras de Rainbow y decidió abandonar el reino en paz.

Cuando Rainbow regresó, fue recibido como un héroe. A partir de ese día, todos en el reino se dieron cuenta de que ser diferentes no nos hace débiles, sino fuertes a nuestra manera.

La historia de Rainbow nos enseña que cada uno de nosotros tiene derecho a ser quien realmente es. No debemos tener miedo de nuestras diferencias, sino abrazarlas y celebrarlas. Porque es precisamente nuestra singularidad lo que hace del mundo un lugar maravilloso y colorido.

El final.

La princesa y la bruja del amor

Érase una vez una princesa llamada Aurora. Aurora era conocida en todo el reino por su belleza y su bondad. Pero había algo especial en ella: Aurora estaba enamorada de otra princesa, la princesa Luna.

Aurora siempre había sabido que era diferente, pero nunca había podido expresar sus sentimientos por miedo a no ser aceptada. Así, ocultó su amor por Luna, sufriendo en silencio.

Un día, mientras paseaba por el bosque, Aurora se encontró con una bruja. La bruja, al ver la tristeza en los ojos de la princesa, le preguntó qué le preocupaba. Aurora, con un suspiro, le confesó su amor por Luna.

La bruja sonrió y dijo: "El amor no tiene nada de malo, Aurora. El amor es un don precioso, no importa a quién vaya dirigido. Debes ser valiente y seguir a tu corazón".

Pero Aurora seguía teniendo miedo. Temía que el rey y la reina, sus padres, no lo entendieran. Así que la bruja le dio un cristal mágico. "Este cristal te ayudará a mostrar a todos la belleza de tu amor", le dijo.

Aurora regresó al castillo y, con el valor que le daba el cristal, confesó sus sentimientos a Luna y a su padres. El cristal, que brillaba con mil luces, mostraba a todos el amor puro y sincero de Aurora por Luna.

El rey y la reina se sorprendieron, pero al ver el amor en sus corazones, aceptaron a la princesa Aurora por lo que realmente era. Luna, conmovida por las palabras de Aurora, confesó corresponder a sus sentimientos.

Desde aquel día, el reino se convirtió en un lugar de aceptación y amor. Todos comprendieron que el amor no entiende de sexos y que cada cual tiene derecho a amar a quien quiera.

El cuento de la princesa Aurora nos enseña que el amor es un sentimiento hermoso y natural, independientemente de quiénes seamos o de quién nos enamoremos. Debemos estar orgullosos de quiénes somos y del amor que sentimos, porque eso es lo que nos hace verdaderamente únicos y especiales.

El final.

La canción del algodón

Érase una vez, hace mucho tiempo, un gran campo de algodón que se extendía hasta donde alcanzaba la vista. Este campo era cultivado por mucha gente, de diferentes colores de piel, pero todos compartían el mismo esfuerzo y sudor de trabajo.

Un chico llamado Ebo trabajaba en este campo. Ebo había nacido allí, igual que su padre y su abuelo antes que él. A pesar del duro trabajo, a Ebo le encantaba cantar. Su voz era como un rayo de sol que calentaba el corazón de todos.

Un día llegó al campo un chico nuevo, de piel blanca, llamado Jack. Jack venía de una tierra lejana y no estaba acostumbrado a trabajar en los campos de algodón. Al ver a Ebo y a los demás trabajar tan duro, Jack empezó a sentirse triste.

Ebo vio la tristeza de Jack y decidió ayudarle. Le enseñó a recoger algodón y le enseñó la canción que siempre cantaba, la Canción del Algodón. Jack quedó impresionado por la amabilidad de Ebo y los dos pronto se hicieron amigos.

Pero no todo el mundo estaba contento con la amistad entre Ebo y Jack. Algunos miraban mal a Jack porque estaba con Ebo, cuya piel era de otro color. Pero Jack no dejó que desalentar. Había aprendido de Ebo que el color de la piel no importaba, lo que importaba era el corazón.

Un día, mientras trabajaban juntos, empezaron a cantar la Canción del Algodón. Sus voces se elevaron hacia el cielo, uniendo a todos en el campamento. Pronto, todos empezaron a cantar, olvidando sus diferencias de piel y uniéndose al ritmo de la canción.

A partir de ese día, la gente empezó a darse cuenta de que no importaba el color de la piel. Lo que importaba era el corazón y la bondad. Ebo y Jack siguieron trabajando y cantando juntos, enseñando a todos la importancia de la aceptación y la unidad.

La historia de Ebo y Jack nos enseña que todos somos iguales, independientemente del color de nuestra piel. Debemos mirar más allá de nuestras diferencias y ver la humanidad que nos une. Sólo entonces podremos construir un mundo de amor, respeto e igualdad.

Kofi y Ling: La aventura del Dragón de Jade

En un barrio lleno de colores y culturas, vivían dos amigos muy especiales: Kofi, un niño afrodescendiente de piel tan oscura como la noche estrellada, y Ling, un niño chino de ojos brillantes como estrellas fugaces.

A Kofi le encantaba contar historias fascinantes que le había contado su abuela sobre la rica cultura africana, mientras que a Ling le encantaba pintar hermosos dragones chinos, inspirado por las historias de su abuelo.

Un día, jugando en el parque, encontraron una piedra de jade tallada en forma de dragón. Ling reconoció inmediatamente que era un símbolo de buena suerte en la cultura china. Pero había algo extraño: la piedra de jade parecía tener luz propia.

Decidieron quedarse con la piedra y esa noche, cuando la luna estaba alta en el cielo, ¡el dragón de jade cobró vida! Se elevó en el aire y reveló un mensaje: "Sólo la amistad que une culturas diferentes puede revelar el verdadero tesoro".

Atónitos, Kofi y Ling se miraron. Se dieron cuenta de que el dragón estaba hablando de su singular amistad. Decidieron llevar al dragón al colegio al día siguiente y contarle su historia.

Hablaron de sus diferentes culturas, de las historias africanas de Kofi y de las pinturas de dragones de Ling. Hablaron cómo, a pesar de sus diferencias, eran los mejores amigos. Mientras contaban su historia, el dragón de jade empezó a brillar aún más.

De repente, el dragón soltó un haz de luz que se convirtió en un hermoso arco iris. El arco iris brillaba en todos los colores, simbolizando la belleza de la diversidad y la amistad entre diferentes culturas.

Desde aquel día, Kofi y Ling se convirtieron en un ejemplo para todos en su barrio. Demostraron a todos que la diversidad no debe separarnos, sino unirnos. Su amistad era el verdadero tesoro que el dragón de jade quería revelar.

La historia de Kofi y Ling nos enseña la importancia de aceptar y respetar las diferencias culturales. No importa de dónde vengamos, siempre podemos aprender unos de otros y crecer juntos a través de la amistad y la comprensión.

Scintilla y Silver Paw

En una pequeña ciudad llena de callejones y tejados altos, vivían dos gatos muy amigos: Scintilla, un gato ágil y asustadizo con el pelo tan brillante como el oro, y Silver Paw, un gato con una pata trasera menos, lo que le hacía un poco más lento que los demás gatos.

A Scintilla le encantaba explorar y corretear por los tejados, mientras que Garra Plateada, a pesar de que le faltaba una pata, era el gato más sabio y paciente que se podía conocer. Tenía una forma peculiar de moverse, dando saltitos con sus tres patas, pero eso no le impedía vivir su vida al máximo.

Un día, un gran perro callejero llegó a la ciudad. Los demás gatos se asustaron y se escondieron. Scintilla quería correr y esconderse como los demás, pero Garra Plateada se lo impidió. "No debemos tener miedo", dijo. "Debemos demostrarles que, aunque seamos diferentes, tenemos derecho a estar aquí".

Scintilla no lo entendió. "Pero sólo tienes tres patas, ¿cómo puedes enfrentarte a él?", preguntó. Garra Plateada sonrió y dijo: "El valor no se mide por el número de patas, sino por el tamaño del corazón".

Con estas palabras, Garra de Plata avanzó hacia el perro. El perro ladró y gruñó, pero Garra de Plata no conmovido. Con voz tranquila y segura, habló al perro, mostrándole que no tenían intención de hacerle daño.

El perro, al ver el valor de Garra Plateada, se tranquilizó. Se dio cuenta de que, a pesar de la pata que le faltaba, Garra Plateada era un gato fuerte y valiente. A partir de ese día, el perro se hizo amigo de los gatos y ya no los molestó.

Los demás gatos, al ver el coraje de Garra Plateada, aprendieron una importante lección. No importa si somos diferentes o tenemos dificultades, lo que cuenta es nuestro coraje y nuestra fuerza interior.

Scintilla y Silver Paw nos enseñan que no debemos juzgar a los demás por sus capacidades o discapacidades, sino que debemos respetar y aceptar a cada uno por lo que es. Porque todos, de una forma u otra, somos especiales y únicos.

Iron and Flame: los mercenarios que eligieron la paz".

Érase una vez dos valientes mercenarios conocidos en todo el reino: Hierro, un gigante de corazón gentil y brazos tan fuertes como el acero, y Llama, ágil y veloz como el rayo, cuya espada bailaba como una llama abrasadora.

Hierro y Llama eran famosos por su habilidad en la batalla. Durante años, habían luchado en muchas guerras, vendiendo sus espadas al mejor postor. Pero a pesar de su fama y riqueza acumulada, una sensación de inquietud crecía en sus corazones.

Un día, en una ciudad devastada por la guerra, vieron a una niña llorando entre las ruinas de lo que había sido su hogar. La visión de la niña, tan pequeña e indefensa, les hizo darse cuenta del inmenso sufrimiento que traía consigo la guerra.

Ferro miró a Flame y vio en la mirada de su amigo el mismo dolor que él sentía. "Debemos parar", dijo Ferro. "No podemos seguir alimentando este sufrimiento".

Flame asintió y dijo: "Tienes razón, Hierro. Nuestra fuerza no debe usarse para causar dolor, sino para proteger y ayudar a los demás".

A partir de ese día, Hierro y Llama se retiraron de la vida de mercenarios. En lugar de vender sus espadas, empezaron a utilizar sus habilidades para ayudar a la gente.

Reconstruyeron casas, protegieron ciudades de los bandidos y enseñaron a los demás la importancia de la paz.

Su decisión sorprendió a muchos, pero su ejemplo de valor y compasión empezó a extenderse. Pronto, otros mercenarios también empezaron a renunciar a la guerra, eligiendo seguir el camino de la paz marcado por Hierro y Llama.

La historia de Hierro y Llama nos enseña que la fuerza y el coraje no se miden por las batallas que libramos, sino por el valor de elegir la paz y el amor en lugar de la violencia y la guerra. Recuerda siempre que podemos elegir marcar la diferencia y traer luz al mundo, por muy oscuro que parezca.

Rino y el cuerno de la paz

Érase una vez, en la inmensa sabana africana, un rinoceronte llamado Rino. Rino era un rinoceronte muy especial. Tenía un gran corazón lleno de amor por todas las criaturas de la sabana. Su piel era tan dura como la armadura de un caballero y su cuerno tan afilado como la espada más afilada, pero a pesar de su fuerza, Rino era el más pacífico de todos los animales.

Un día, un ruidoso grupo de hipopótamos y búfalos empezó a pelearse por un punto de agua. La disputa se estaba convirtiendo en una auténtica batalla, que amenazaba la paz de la sabana.

Rino, al ver esto, sintió una gran tristeza en su corazón. No quería que sus amigos resultaran heridos. Así que, con todo el valor que tenía, dio un paso al frente y se interpuso entre los dos grupos pendencieros.

"Amigos míos", dijo Rino con voz tranquila y firme, "la violencia no traerá nada bueno. Sólo creará más ira y dolor. Debemos aprender a compartir y a respetar a los demás".

Pero los hipopótamos y los búfalos estaban demasiado enfadados para escuchar. "¿Y por qué habríamos de escucharte a ti?", replicó uno de los búfalos. "¿Qué sabéis vosotros de lucha y de guerra?".

Rino miró al búfalo a los ojos y le dijo: "Tengo un cuerno afilado y una piel dura, podría ser el más fuerte de todos nosotros. Pero he elegido la paz. He elegido usar mi fuerza no para luchar, sino para proteger y ayudar. Eso es lo que sé sobre la lucha y la guerra".

Las palabras de Rino hicieron reflexionar a todos los animales. Se dieron cuenta de que la fuerza no debía utilizarse para luchar, sino para proteger y ayudar. Desde aquel día, los animales de la sabana aprendieron a respetar y compartir, manteniendo la paz.

La historia de Rino nos enseña la importancia de la paz y el respeto. No importa lo fuertes o poderosos que seamos, la verdadera fuerza reside en nuestro corazón, en nuestra capacidad de amar y respetar a los demás.

El sueño de la luna ártica

Érase una vez, en el silencioso y blanco mundo del Polo Norte, una joven osa polar llamada Stella. Stella era curiosa y le encantaba observar el cielo nocturno. Todas las noches se tumbaba sobre la suave nieve, mirando cómo las estrellas bailaban en el cielo y la luna brillaba con una luz plateada.

Una noche especialmente clara, Stella notó que la luna parecía un poco triste. Su radiación, habitualmente brillante, estaba apagada, su resplandor parecía haberse desvanecido.

"¿Por qué estás triste, Luna?", preguntó Stella.

La Luna respondió con voz delgada y plateada: "Echo de menos el calor del sol. En las frías tierras del Polo Norte, me siento sola".

Stella pensó un momento y luego dijo: "Sabes, Luna, aunque el sol no pueda alcanzarte aquí, hay muchas otras cosas bellas que pueden calentarte. Como las luces de la aurora boreal, el canto de las focas o mi cálido abrazo".

Y así, aquella noche, Estela reunió todas las luces de la aurora boreal y las llevó a la Luna. Cantó canciones dulces y melodiosas que resonaron en la silenciosa noche. Finalmente, se acurrucó junto a la Luna, ofreciéndole su calor.

La Luna, conmovida por el cariñoso gesto de Stella, empezó a brillar con más intensidad, y su rostro volvió a llenarse de felicidad. "Gracias, Stella", susurró la Luna. "Me has recordado que, incluso en las tierras más frías, siempre hay calor y amor".

A partir de ese día, cada vez que la Luna se sentía un poco sola o tenía frío, recordaba el calor de la amistad de Stella y brillaba más en el cielo nocturno.

La historia de Stella nos enseña que, estemos donde estemos, siempre habrá amor y bondad a nuestro alrededor, si les abrimos nuestro corazón. Ahora, querido lector, es hora de cerrar los ojos y soñar con estrellas brillantes y lunas resplandecientes. Buenas noches.

El sueño mágico de Leo

Érase una vez un pequeño mago llamado Leo. Leo era un niño especial que vivía en un pueblo escondido en las montañas, donde la magia formaba parte de la vida cotidiana. Pero Leo era un mago en ciernes y aún no había descubierto cuál era su don especial.

Cada noche, Leo miraba las estrellas y se preguntaba cuál sería su magia. ¿Podría invocar el fuego, como su padre, o hablar con los animales, como su madre? Las posibilidades parecían infinitas.

Una noche, mientras Leo estaba tumbado en el césped mirando al cielo estrellado, oyó un sonido tan delicado como una melodía. Siguiendo el sonido, Leo encontró una pequeña mariposa con un ala rota, incapaz de volar.

Leo sintió una gran pena por la pequeña criatura. Se agachó junto a ella y, sin pensarlo, puso las manos sobre el ala rota. Cerrando los ojos, deseó de todo corazón poder ayudar a la mariposa.

Cuando volvió a abrir los ojos, un resplandor brillante emanaba de sus manos. Para su sorpresa, vio cómo el ala de la mariposa se reparaba lentamente hasta quedar entera de nuevo. La mariposa, ya curada, aleteó alegremente y se alejó dejando tras de sí un rastro de polvo de estrellas.

Leo estaba asombrado. Acababa de descubrir su don: la magia curativa. En ese momento, se dio cuenta de que su magia no servía para crear fuego o hablar con los animales, sino para curar y ayudar a los demás.

A partir de ese día, Leo utilizó su don para ayudar a todos los habitantes de su aldea. Curó a los animales heridos, ayudó a las plantas a crecer y llevó alegría y esperanza a todos los que conoció.

La historia de Leo nos enseña que cada uno de nosotros tiene un don único y especial que compartir con el mundo. Puede que no sea llamativo ni extraordinario, pero es precioso e importante. Y ahora, querido lector, cierra los ojos y sueña con magia, estrellas y pequeños magos. Buenas noches.

La princesa Astra y el Reino de las Estrellas

Érase una vez, en una tierra lejana, una princesa llamada Astra. Astra no era una princesa cualquiera; vivía en un reino que flotaba entre las estrellas, donde la luz de la luna bailaba a través de cristales y gemas, creando hermosos arco iris de luz estelar.

Astra amaba su reino estelar, pero sentía curiosidad por el mundo más allá de las estrellas. Ansiaba saber más sobre el vasto universo, las tierras desconocidas y las criaturas fantásticas.

Un día, Astra decidió emprender un viaje. Cogió su capa estrellada, se puso la corona de cometa sobre la cabeza y se despidió de su reino. Con un batir de alas, voló a través de la Vía Láctea, descubriendo lo más desconocido.

Durante su viaje, Astra visitó planetas esmeralda, se sumergió en coloridas nebulosas y bailó con estrellas fugaces. Se encontró con criaturas fantásticas, desde el dragón de fuego de la estrella Sirio hasta el gato estelar de Andrómeda. Pero, sobre todo, Astra aprendió.

Aprendió las canciones de los habitantes de Venus, que tocaban arpas hechas de luz solar. Aprendió la paciencia de los gigantes gaseosos de Júpiter, que moldeaban sus nubes con formas maravillosas. Aprendió la humildad de las estrellas enanas, que ardían brillantes y hermosas a pesar de ser pequeñas.

Cuando Astra regresó a su reino estelar, trajo consigo las historias y lecciones que había aprendido. Compartió su sabiduría con su pueblo, enriqueciendo su reino con nuevas ideas y culturas.

La historia de la princesa Astra nos enseña que el conocimiento y el aprendizaje son tesoros preciosos. Que viajar y conocer nuevas culturas puede enriquecernos no sólo a nosotros mismos, sino también a nuestra comunidad. Y que no importa lo lejos que viajes, siempre hay algo precioso que traer a casa.

Daisy y el juego de las estrellas

Érase una vez una niña llamada Daisy que vivía en un pequeño pueblo al pie de una gran montaña. A Daisy le gustaba el deporte más que nada en el mundo. Le encantaba correr más rápido que el viento, saltar más alto que las nubes y jugar hasta que las estrellas iluminaban el cielo.

Daisy soñaba con participar en el Gran Juego de las Estrellas, un acontecimiento deportivo que se celebra cada diez años y en el que participan los atletas más fuertes del mundo. Pero el pueblo de Daisy era pequeño y nadie pensaba que una niña pudiera participar en un acontecimiento tan grande.

Pero Daisy no se desanimó. Todos los días practicaba con toda su alma. Corría por los sinuosos senderos de la montaña, saltaba sobre burbujeantes arroyos y jugaba a la pelota con sus amigos hasta el anochecer.

Tras años de duro entrenamiento, Daisy se convirtió en una joven fuerte y resistente. Cuando llegó el Gran Juego de las Estrellas, Daisy se presentó al evento dispuesta a demostrar su valía a todo el mundo.

Los atletas eran fuertes y rápidos, pero Daisy estaba decidida. Corría más rápido que un leopardo, saltaba más alto que un águila y jugaba al balón estrella con una gracia y una destreza que dejaban a todos boquiabiertos.

Al final del Gran Juego de la Estrella, Daisy fue proclamada ganadora. Su pueblo celebró su éxito, y todos se dieron cuenta de que no importa lo pequeño que seas o de dónde vengas, con determinación y trabajo duro puedes conseguir grandes cosas.

La historia de Daisy nos enseña la importancia del trabajo duro, la determinación y el amor por lo que uno hace. Nos recuerda que no importa de dónde vengas, sino adónde vayas y cuánto esfuerzo pongas en tu viaje.

"El sueño del osito de peluche

Érase una vez un osito de peluche llamado Teddy. No era un osito cualquiera, sino un osito mágico que vivía en una juguetería. Durante el día, Teddy permanecía inmóvil en la estantería con los demás juguetes, pero cuando llegaba la noche y la luna brillaba en lo alto del cielo, Teddy se despertaba.

Una noche, mientras todos dormían, Teddy miró por el escaparate y vio una estrella fugaz en el cielo. Había oído que si pides un deseo a una estrella fugaz, el deseo se hará realidad. Teddy cerró los ojos y pidió un deseo.

Ansiaba vivir una aventura de verdad, como las que le habían contado los niños que acudían a la juguetería. Cuando volvió a abrir los ojos, se dio cuenta de algo extraordinario: ¡la juguetería se había convertido en un inmenso reino encantado!

Teddy exploró el reino encantado, encontrándose por el camino con personajes extraordinarios. Vio castillos de cubos de colores, princesas con vestidos de seda y caballeros con armaduras de tela. Al adentrarse en el reino, Teddy se sintió más vivo que nunca.

Tras explorar el reino y vivir su aventura, Teddy regresó a la juguetería justo cuando amanecía. Se subió a la estantería, contento y satisfecho. Había vivido su aventura, tal como deseaba.

Aquella noche, Teddy se dio cuenta de que no importaba ser sólo un osito de peluche durante el día. Porque cuando llegaba la noche, podía vivir sus aventuras y soñar despierto. Y así, todas las noches desde entonces, Teddy miraba las estrellas y soñaba con sus aventuras.

Ahora, querido lector, es el momento de cerrar los ojos y soñar con tus aventuras. Tal vez, como Teddy, descubras que los sueños pueden hacerse realidad. Buenas noches.

El caballito travieso y la mamá potro

Érase una vez un lindo caballito llamado Goofy. Goofy siempre estaba lleno de energía y travesuras. Corría a toda velocidad por los prados, daba volteretas en el aire y brincaba aquí y allá, dejando tras de sí un rastro de cascos tambaleantes.

La madre de Goofy era una potra llamada Luna. Luna era una madre paciente y cariñosa, que quería a su travieso caballito a pesar de todo. Por muchas locuras que hiciera Goofy, Luna permanecía tranquila y cariñosa.

Un día, Goofy decidió poner a prueba la paciencia de Luna. Saltó por encima de un seto de rosas recién florecidas, dejando caer los delicados pétalos al suelo. Luego corrió hacia un arroyo y se revolcó en el barro, cubriéndose de baba de pies a cabeza.

Volviéndose hacia Luna, Goofy la miró con una sonrisa maliciosa. Pero en lugar de enfadarse, Luna se le acercó suavemente. Las rosas que Goofy había pisado se habían convertido en un lecho de fragantes pétalos y el barro de su pelaje se había convertido en un bronceado de barro fresco.

Luna se inclinó y dijo con voz suave: "Goofy, entiendo que estés lleno de energía y desees explorar el mundo, pero recuerda que tus acciones también pueden influir en los demás. Procura no dañar ni ensuciar el entorno que te rodea".

Las palabras de Luna llegaron directamente al corazón de Goofy. Se dio cuenta de que sus travesuras no hacían más que causar problemas a los demás y a su entorno. Pidió disculpas a Luna y prometió hacer todo lo posible por ser más responsable.

A partir de ese día, Goofy aprendió a canalizar su energía en actividades positivas. Aprendió a saltar obstáculos en un campo especial y a cuidar su aspecto, haciendo buenas figuras en cada oportunidad.

La potra madre Luna estaba orgullosa del cambio experimentado por Goofy. Siguió siendo paciente y cariñosa, animando a su caballito a ser amable y respetuoso con los demás.

La historia de Goofy y Luna nos recuerda la importancia de la paciencia, el amor y el perdón. Nos enseña que, aunque cometamos errores, siempre podemos aprender y mejorar. Y con el apoyo y el amor de los seres queridos, podemos superar cualquier obstáculo.

La princesa Zaira y la magia de la cocina

En un reino lejano, vivía una joven princesa llamada Zaira. Zaira era una princesa diferente a las demás. Mientras las demás princesas soñaban con vestidos elegantes y bailes relucientes, Zaira soñaba con ponerse un delantal y crear deliciosos platos en la cocina.

Ya de niña, Zaira se pasaba horas mezclando ingredientes, probando sabores e inventando nuevas recetas. Tenía un don especial para la cocina y le encantaba ver la sonrisa en la cara de la gente cuando probaban sus delicias.

Pero la familia real no comprendía el deseo de Zaira. Pensaban que una princesa sólo debía dedicarse a actividades nobles y regias. Pero Zaira no se rindió. Quería seguir su pasión, aunque fuera diferente de las expectativas de los demás.

Un día, Zaira decidió participar en un gran concurso culinario del reino. Tendría la oportunidad de mostrar al mundo sus habilidades culinarias. Pero cuando Zaira comunicó su deseo al rey y a la reina, se quedaron sorprendidos y decepcionados.

"¡No puedes presentarte a un concurso de cocina, eres una princesa!", exclamó la reina con voz severa.

Pero Zaira estaba decidida. "Mi pasión por la cocina forma parte de mí", dijo con confianza. "Y quiero demostrar al mundo que las princesas pueden ser buenas cocineras".

Así que Zaira se presentó al concurso culinario, con su precioso vestido y un delantal oculto bajo él. Los jueces se sorprendieron al ver participar a una princesa, pero la dejaron mostrar sus habilidades.

Con gracia y habilidad, Zaira creó platos deliciosos, mezclando sabores y creando obras de arte culinarias. Su plato principal fue un triunfo de colores y sabores, que encantó a los jueces e hizo que a todos se les hiciera la boca agua.

Al final del concurso, Zaira fue coronada ganadora. Su valentía al seguir su pasión dejó a todos boquiabiertos. La noticia se extendió por todo el reino y la princesa Zaira pasó a ser conocida como "la princesa chef".

Tras su victoria, Zaira abrió una escuela de cocina en el reino. Enseñó a todos, príncipes y princesas, nobles y campesinos, que la comida podía unir a la gente y que la pasión y el amor por la cocina no conocen barreras.

La historia de Zaira nos enseña que nunca debemos renunciar a nuestras pasiones, aunque sean diferentes de lo que se espera de nosotros. Cada uno de nosotros tiene un don único y especial que compartir con el mundo, y cuando seguimos nuestro corazón, podemos conseguir grandes cosas.

Astro, el cachorro de dragón

En un reino lejano, entre las cumbres de las montañas, vivía un adorable bebé dragón llamado Astro. Astro aún tenía alas pequeñas y escamas blandas, pero en su interior ardía un fuego de valor y ansias de aventura.

Astro observaba cómo los dragones adultos surcaban el cielo y protegían el reino con su poder y habilidad. Él quería ser como ellos, volar alto y respirar fuego, pero sabía que aún tenía que aprender antes de poder enfrentarse a grandes retos.

Un día, Astro se acercó al sabio dragón anciano, el Guardián del Conocimiento, y le pidió ayuda. "Maestro, deseo convertirme en un gran dragón como los adultos, pero sé que aún tengo que aprender. ¿Qué puedo hacer?"

El Guardián del Saber sonrió y dijo: "Astro, el camino de un dragón lleva tiempo y esfuerzo. Debes aprender las habilidades y la sabiduría necesarias para convertirte en un dragón fuerte y respetado".

Así, el Guardián del Conocimiento empezó a enseñar a Astro las habilidades básicas de un dragón. Aprendió a escupir pequeñas llamas, a usar sus alas para planear y a defenderse con sus escamas.

Astro entrenaba todos los días, perfeccionando sus habilidades. Aunque a veces se sentía frustrado porque no podía volando muy alto o escupiendo llamas como los adultos, el bebé dragón no se rindió.

Con el paso del tiempo, Astro aprendió a volar cada vez más alto, a escupir llamas cada vez más poderosas y a proteger el reino con su determinación. Aunque aún era un cachorro, demostró que el valor y el empeño en aprender eran esenciales para convertirse en un gran dragón.

Un día, durante una gran amenaza para el reino, Astro voló al lado del dragón adulto y demostró su valentía. Aunque aún era pequeño, ayudó a repeler al invasor y a proteger el reino.

Los dragones adultos se dieron cuenta de la dedicación y el compromiso de Astro. Le elogiaron por su valentía y le dijeron que tenía un futuro brillante como verdadero dragón.

Desde ese día, Astro siguió aprendiendo y creciendo. Se convirtió en un dragón fuerte y respetado, pero nunca dejó de aprender, porque sabía que el aprendizaje es un viaje sin fin.

La historia de Astro nos enseña que, por muy jóvenes o inexpertos que seamos, podemos conseguir grandes cosas si tenemos el valor de aprender y el compromiso de perseguir nuestros sueños.

El niño inteligente y la importancia de la bondad

Érase una vez un niño llamado Luca. Luca era extremadamente inteligente y brillante en la escuela. Siempre era el primero en terminar los deberes, respondía a las preguntas de los profesores y sacaba excelentes notas. Sin embargo, a pesar de sus habilidades, Luca no siempre se portaba bien.

Un día, en su clase, había un niño llamado Marco. Marco tenía más dificultades en la escuela y necesitaba más tiempo para entender los temas. A menudo tardaba en hacer los deberes y no sacaba buenas notas como Luca.

Luca, en lugar de ayudar a Marco o animarle, decidió burlarse de él. Se burlaba de él por sus bajas notas y le hacía sentirse inferior. Pensaba que su inteligencia le daba derecho a sentirse superior a los demás.

Un día, sin embargo, Luca se enfrentó a un reto difícil. El profesor le propuso un problema matemático muy complejo, que requería un pensamiento crítico y un análisis minucioso. Luca, acostumbrado a las respuestas inmediatas, se encontró en dificultades.

Mientras intentaba resolver el problema, Luca se dio cuenta de que Marco estaba sentado a su lado y trabajaba diligentemente. Marco parecía concentrado y sin miedo a enfrentarse al reto.

Luca, en lugar de seguir burlándose de Marco, decidió pedirle ayuda. "Marco, parece que entiendes muy bien los problemas matemáticos. ¿Podrías echarme una mano con esto?"

Marco sonríe amablemente y se ofrece a explicarle el problema a Luca. Juntos, los dos niños trabajaron duro y acabaron resolviendo el problema brillantemente.

Luca aprendió una gran lección aquel día. Se dio cuenta de que la inteligencia no era motivo para burlarse o humillar a los demás. Cada uno tiene sus puntos fuertes y débiles, y lo importante es ayudarse mutuamente y aprender de los demás.

A partir de ese día, Luca cambió su actitud hacia los demás. Empezó a ayudar a Marco y a otros compañeros que necesitaban apoyo. Descubrió que había una gran alegría en ver a los demás triunfar y se dio cuenta de que la amabilidad y la empatía eran más importantes que la pura inteligencia.

La historia de Luca nos enseña la importancia de la amabilidad y el respeto hacia los demás, independientemente de sus capacidades o debilidades. No importa lo inteligentes o talentosos que seamos, el verdadero éxito reside en la forma en que tratamos a los demás y en la contribución positiva que podemos hacer a nuestra comunidad.

Sally, la serpiente de buen corazón

En el corazón de un denso bosque vivía una serpiente llamada Sally. Sally era una serpiente especial porque tenía un corazón amable y amistoso. Siempre estaba dispuesta a ayudar a otros animales y a ofrecerles una sonrisa tranquilizadora.

Sin embargo, a pesar de su bondad, Sally se sentía discriminada por los demás animales del bosque. Tenían prejuicios contra las serpientes y las consideraban criaturas peligrosas y engañosas.

Los pájaros evitaban posarse en los árboles cercanos a Sally por miedo a que les atacara. Los animales del bosque se alejaban cuando ella se acercaba, por miedo a ser mordidos. Sally estaba muy dolida por esta discriminación y se sentía sola.

Un día, mientras Sally se escondía entre los árboles, desesperada por su aislamiento, oyó una voz amable. Era un búho viejo y sabio llamado Oliver. Oliver se acercó a Sally y le dijo: "Querida Sally, no dejes que los prejuicios de los demás te hundan. Siéntete orgullosa de ti misma y de quién eres".

Sally miró al búho con tristeza en los ojos y le dijo: "Pero ¿por qué los demás animales me temen y me juzgan sólo porque soy una serpiente? Nunca les he hecho daño".

Oliver asintió comprensivo y contestó: "Muchos animales temen lo que no conocen, Sally. De ti depende demostrarles que las serpientes pueden ser amigas y aliadas".

Entonces, Sally decidió hacer un gesto valiente. Empezó a acercarse a los animales con amabilidad y respeto, mostrándoles que ella era diferente a sus prejuicios. Les ayudó a encontrar comida, les consoló cuando estaban tristes y les demostró que podía ser una amiga de confianza.

Con el paso del tiempo, los animales del bosque empezaron a ver el buen corazón de Sally y se dieron cuenta de que los prejuicios eran injustos. La discriminación se fue disolviendo poco a poco y Sally encontró por fin su lugar entre los animales del bosque.

La historia de Sally nos enseña la importancia de no juzgar a los demás basándonos en las apariencias o los prejuicios. Nos invita a ir más allá de las superficialidades y apreciar la bondad y el carácter de una persona o un animal. La verdadera belleza reside en el corazón y en la actitud cariñosa que mostramos hacia los demás.

Zelda, el tigre dientes de sable y una amistad increíble

Érase una vez, en un bosque salvaje y remoto, una magnífica tigresa llamada Zelda. Zelda era una tigresa con dientes de sable y colmillos largos y afilados como espadas. Era fuerte, rápida y solitaria, y reinaba en su parte del bosque.

Un día, mientras exploraba su territorio, Zelda conoció a un hombre primitivo llamado Kaya. Kaya era un hombre amable, que vivía en armonía con la naturaleza y conocía los secretos del bosque. A pesar de la aparente diferencia entre ambos, Zelda se acercó a Kaya con curiosidad.

Kaya, a pesar de haber oído historias aterradoras sobre tigres dientes de sable, no se sentía intimidada. No veía a Zelda como un peligro, sino como una criatura majestuosa y fascinante. Poco a poco, las dos empezaron a forjar una conexión única.

Zelda mostró a Kaya las maravillas del bosque, guiándole por intrincados senderos y enseñándole los secretos de la caza. Kaya, a su vez, compartió con Zelda sus conocimientos sobre la construcción de refugios y la recolección de alimentos.

Con el paso del tiempo, su amistad se hizo más profunda. Zelda y Kaya se hicieron inseparables, explorando juntas los lugares más remotos del bosque. Zelda aprendió la bondad y la compasión de Kaya, mientras que Kaya aprendió el valor y la fuerza de Zelda.

Sin embargo, no todos en la aldea de Kaya aprobaban la amistad entre él y Zelda. Tenían miedo del tigre dientes de sable y estaban preocupados por la seguridad de Kaya. Pero Kaya les explicó que Zelda era diferente de las historias de miedo y que tenía un corazón bondadoso.

Para demostrar que Zelda no era una amenaza, Kaya organizó una reunión entre Zelda y los aldeanos. Cuando vieron que Zelda se acercaba pacíficamente, sin hacer daño a nadie, se dieron cuenta de que Kaya tenía razón.

Desde aquel día, Zelda y Kaya fueron acogidas con franqueza y respeto en la aldea. Su amistad fue un ejemplo vivo de cómo la amistad puede superar las diferencias y los miedos.

Zelda y Kaya pasaron muchos años juntos, viviendo emocionantes aventuras y aprendiendo el uno del otro. La amistad entre un tigre dientes de sable y un hombre primitivo quedó en la historia como símbolo de amor, aceptación y comprensión.

La historia de Zelda y Kaya nos enseña que la amistad puede nacer entre criaturas diferentes, si tan solo les damos una oportunidad. Toda persona, o animal, tiene el potencial de mostrar bondad y amor, independientemente de sus características físicas o diferencias culturales.

Y en el mundo actual, esto es muy difícil, por eso es importante enseñárselo a un niño desde pequeño.

Renace la amistad: la reconciliación de Marco y Luca

Érase una vez, en un pueblo tranquilo, dos amigos llamados Marco y Luca. Eran inseparables y pasaban días enteros juntos, riendo, jugando y compartiendo secretos. Pero un día, debido a un malentendido, se pelearon furiosamente y se separaron.

Pasó el tiempo y Marco y Luca empezaron a echarse de menos. Pero su orgullo y su ira no les permitieron dar el primer paso para hacer las paces. Así, se alejaron el uno del otro y vivieron sus vidas sin la preciosa compañía que una vez tuvieron.

Pero el destino les tenía reservado un encuentro inesperado. Un día, muchos años después, paseando por la ciudad, Marco y Luca se cruzaron por casualidad. Sus miradas se cruzaron y sintieron una mezcla de alegría y tristeza.

Tras un momento de vacilación, Marco y Luca se acercan tímidamente. Sus corazones estaban llenos de emoción, pero ambos estaban dispuestos a dejar atrás el pasado y reparar el vínculo especial que habían compartido.

"Te echo de menos, amigo mío", dijo Marco, rompiendo el silencio. "Echo de menos nuestras risas, nuestros juegos y todo el tiempo que perdimos".

Luca asintió con los ojos llenos de lágrimas. "Yo también te echo de menos, Marco. He aprendido lo preciosa que es nuestra amistad y lo mucho que me duelen nuestras peleas. Ojalá pudiera volver atrás y acabar con ellas".

Marco y Luca se abrazaron, dejando que la emoción fluyera entre ellos. Se dieron cuenta de que el tiempo perdido no podía recuperarse, pero aún les quedaba mucho futuro.

Decidieron sentarse en un acogedor café, donde empezaron a compartir recuerdos del pasado y las experiencias que habían vivido por separado. Contaron sus aventuras y los retos a los que se habían enfrentado, pero esta vez había un profundo entendimiento y respeto mutuo.

A partir de ese día, Marco y Luca prometieron no volver a dejar que las diferencias o los malentendidos los separaran. Se dieron cuenta de que la amistad era un tesoro precioso y de que la paz y el amor eran más importantes que sus diferencias.

La reconciliación de Marcos y Lucas fue un faro de esperanza para la comunidad, que inspiró a otros a buscar la reconciliación y la unidad. Su amistad era aún más fuerte que antes, arraigada en la comprensión y la voluntad de perdonar.

La historia de Marco y Luca nos recuerda la importancia de dejar atrás el resentimiento y perdonar. Nos enseña que las verdaderas amistades son preciosas y que merece la pena luchar para restaurar un vínculo roto. El amor y la reconciliación puede hacer florecer de nuevo incluso los lazos más profundos.

La transformación de Bruno, la oruga soñadora

Érase una vez una oruguita llamada Bruno. Bruno era una oruga soñadora, que se pasaba el día reptando entre las hojas verdes e imaginando cómo sería volar. Soñaba con bailar entre las flores y tocar el cielo con sus alas.

Un día, Bruno se sintió diferente de las demás orugas. Se preguntó si le esperaba algo especial más allá de su vida de oruga. Decidió seguir a su corazón y embarcarse en una aventura única.

Bruno pidió consejo al viejo y sabio búho del bosque. El búho, con su sabiduría, le reveló un precioso secreto: el poder de la transformación. Le dijo a Bruno que, antes de poder volar, tendría que pasar por una gran metamorfosis.

Bruno se comprometió con entusiasmo en esta nueva etapa de su vida. Construyó un capullo seguro a su alrededor y se preparó para el cambio. Durante el periodo de descanso en el capullo, se transformó por completo.

Al cabo de un rato, el capullo se abrió, mostrando una magnífica mariposa con alas de colores. Bruno se había convertido en una maravillosa mariposa, dispuesta a explorar el mundo y hacer realidad sus sueños.

Voló entre las flores, sintiendo cómo el viento cosquilleaba sus nuevas alas y el dulce aroma de la naturaleza llenaba sus sentidos. Bruno se sentía libre, ligero y lleno de alegría. Su transformación le había dado una nueva vida maravillosa.

Durante sus vuelos, Bruno conoció a otras orugas que soñaban con convertirse en mariposas. Les inspiró con su historia de transformación y les enseñó que, con perseverancia y confianza en sí mismas, podían hacer realidad sus mayores deseos.

La historia de Bruno nos enseña la importancia de la confianza y el valor a la hora de perseguir nuestros sueños. Nos recuerda que todo cambio puede conducir a una transformación positiva, incluso cuando parece imposible. Y que a veces tenemos que despojarnos de nuestra vieja piel para dejar sitio a nuestra verdadera esencia y potencial.

Así que, querido lector, recuerda siempre creer en ti mismo y tener el valor de perseguir tus sueños. Puede que descubras que dentro de ti hay una mariposa lista para alzar el vuelo.

Oliver, la zarigüeya timorata y el descubrimiento del valor

Érase una vez una pequeña zarigüeya llamada Oliver. Oliver era una zarigüeya miedosa que se pasaba el día escondida en las ramas de los árboles. Tenía miedo de todo lo que le parecía nuevo o desconocido. Nunca se atrevía a alejarse de su escondite.

Un día, mientras observaba a los demás animales del bosque realizar sus actividades cotidianas con valentía, Oliver se sintió triste e insatisfecho por su miedo constante. Sabía que quería hacer algo más con su vida, pero el miedo se lo impedía.

Decidió pedir ayuda al sabio Zorro del Bosque. El zorro, con su sabiduría, escuchó las preocupaciones de Oliver y le dijo: "Querido Oliver, el valor no viene de la falta de miedo, sino de enfrentarse a él y superarlo. Debes aprender a aceptar los retos y descubrir tu verdadero potencial".

Al comenzar su viaje de descubrimiento, Oliver decidió enfrentarse a sus miedos de uno en uno. Primero, se aventuró en un pequeño claro donde se encontraban los animales más valientes. Allí vio a un conejo que saltaba ágilmente entre las rocas. Oliver decidió imitarlo y, aunque era torpe, consiguió saltar de roca en roca.

Poco a poco, Oliver empezó a enfrentarse a sus mayores miedos. Se acercó al agua y aprendió a nadar, venciendo su miedo a los entornos acuáticos. Trepó a los árboles más altos, venciendo su miedo a las alturas.

Cuando Oliver se enfrentó a sus miedos, empezó a sentir un cambio en su interior. Su confianza creció y el valor le guió en cada paso del camino. Descubrió que podía superar sus miedos y que había una vida llena de aventuras más allá de su zona de confort.

Un día, Oliver se encontró cara a cara con un gran búho, uno de sus mayores miedos. En lugar de huir, Oliver decidió enfrentarse al búho y hablar con él. Descubrió que el búho era amable y sabio, y aprendió de él muchas lecciones valiosas.

Tras enfrentarse a sus miedos y descubrir el valor dentro de sí mismo, Oliver se convirtió en una zarigüeya valiente y segura de sí misma. Ya no se sentía intimidado por los retos que le presentaba la vida, sino que los afrontaba con valentía y determinación.

La historia de Oliver nos enseña que el valor no significa la ausencia de miedo, sino la capacidad de superarlo y crecer. Nos recuerda que hay una fuerza oculta en nuestro interior, lista para emerger cuando estamos dispuestos a enfrentarnos a nuestros miedos.

Así que, querido lector, recuerda siempre tener el valor de superar tus miedos y perseguir tus sueños. Puede que descubras un mundo de maravillas más allá de tu zona de confort.

Stellina, la estrella de mar y el amor al mar

Érase una vez, en un mar cristalino, una dulce estrellita de mar llamada Stellina. Stellina vivía en el fondo del océano, rodeada de corales de colores y peces llenos de vida. Era una estrellita especial, con rayos brillantes y un corazón lleno de amor por el mar.

A Stellina le encantaba nadar entre las olas y sentir la caricia de la brisa marina en el cuerpo. Cada noche, cuando el cielo se teñía de colores brillantes, se despertaba para admirar las estrellas que brillaban sobre ella. Soñaba con unirse a esas estrellas allá arriba.

Pero un día, Stellina se encontró en la orilla, separada de su amado océano. Se sentía perdida y fuera de lugar, incapaz de volver al mar que amaba. Los rayos del sol la resecaron y su delicada piel empezó a dolerle.

Mientras estaba en la arena, desesperada y buscando ayuda, conoció a un niño llamado Luca. Luca era un niño curioso y compasivo. Se acercó a Stellina y la tomó suavemente entre sus manos.

Stellina temblaba de miedo, pero cuando vio la expresión amable de Luca, supo que no le haría daño. Luca llevó a Stellina hacia el agua, consiguiendo devolverla a su elemento natural.

Cuando Stellina regresó al océano, se sintió como en casa. Dio las gracias a Luca con un brillante destello de sus rayos. Luca sonrió, feliz de haber ayudado a una pequeña criatura marina.

Desde aquel día, Stellina y Luca se hicieron grandes amigos. Luca visitaba a menudo la playa y Stellina le saludaba con su luz resplandeciente, recordándole su especial encuentro.

Stellina mostró a Luca los secretos del mar y le enseñó la importancia de proteger el océano y sus criaturas. Juntos limpiaron la playa de basura y concienciaron a la gente de la importancia de la conservación marina.

Stellina estaba agradecida a Luca por haberla salvado, pero Luca sabía que había sido Stellina quien le había enseñado la belleza y la delicadeza del mar. Se dieron cuenta de que incluso la criatura más pequeña podía marcar una gran diferencia en lo que respecta al amor por el medio ambiente.

Cada noche, Starlet se despertaba para admirar las estrellas que brillaban sobre ella, sabiendo que ahora formaba parte de esas estrellas parpadeantes. Y en su corazón, llevaba el recuerdo del amigo humano que había transformado su vida.

La historia de Stellina nos enseña la importancia de amar y proteger nuestro entorno natural. Nos recuerda que hasta la criatura más pequeña puede tener un impacto...

significativas sobre el mundo, y que el amor y la amistad pueden superar las barreras entre especies diferentes.

Y mientras contemplamos las estrellas titilantes sobre nosotros, podemos recordar a Stellina y cómo todos podemos brillar en nuestra singularidad.

Buenas noches, querido lector.

Rocky y Toby: la amistad de dos perros

Érase una vez, en un barrio tranquilo, un perro grande llamado Rocky y un perro pequeño llamado Toby. Rocky era un pastor alemán duro y valiente, mientras que Toby era un adorable chihuahua tímido y curioso. A pesar de sus diferencias de tamaño, los dos perros eran grandes amigos.

Rocky y Toby vivían en la misma calle y pasaban los días juntos. Corrían y jugaban en el parque, exploraban el barrio e intercambiaban lecciones de vida. Rocky protegía a Toby del peligro, mientras que Toby enseñaba a Rocky la importancia de la bondad y la paciencia.

Un día, sin embargo, Toby se perdió en el denso bosque que hay detrás del parque. Estaba desorientado y asustado, sin saber cómo volver a casa. Rocky se preocupó de inmediato y decidió buscar a su amigo sin dudarlo.

Rocky persiguió el rastro de Toby y finalmente lo encontró en el corazón del bosque. Toby estaba atrapado en un arbusto y temblaba de miedo. Rocky se acercó lentamente, transmitiendo tranquilidad con su presencia tranquilizadora.

Con suavidad, Rocky se colocó junto a Toby y le susurró palabras de ánimo. Toby se dio cuenta de que no estaba más solo y que Rocky estaba allí para ayudarle. Juntos, consiguieron encontrar el camino a casa, guiándose el uno al otro.

Desde ese día, la amistad de Rocky y Toby se hizo aún más fuerte. Se cogían de la mano (o, mejor dicho, de la pata) en cada aventura, afrontando juntos los retos y disfrutando de los momentos felices. Eran un ejemplo vivo de cómo la amistad puede superar las diferencias y hacer la vida más bella.

La gente del barrio admiraba la especial amistad entre los dos perros. Padres y niños los observaban con cariño, apreciando el amor y la lealtad que Rocky y Toby se demostraban mutuamente.

Rocky y Toby enseñaron a todos que lo que importa no es el tamaño ni la apariencia externa, sino el corazón y la intención de una persona. La verdadera belleza reside en la bondad, el amor y la aceptación de quienes somos y de quienes nos rodean.

Y así, cada noche, Rocky y Toby se dormían cerca el uno del otro, sabiendo que la amistad que compartían era un regalo precioso. Y en el abrazo de sus sueños, se sentían queridos y protegidos.

Buenas noches, queridos Rocky y Toby.

Thomas, el niño travieso

Thomas era un niño travieso, que hacía travesuras por todas partes. Con su sonrisa traviesa, enfurecía a todos, incluso a los más valientes.

Robaba dulces de la despensa, Dejaba caer ollas del armario. Los adultos se cansaron de sus travesuras y quisieron enseñarle mejores modales.

Un día, mientras bromeaba con su perro, cayó en un profundo e interminable agujero. Su sonrisa desapareció al instante, Y se encontró solo, lleno de tembloroso miedo.

Gritó pidiendo ayuda, pero nadie le oyó, Nadie sabía dónde se escondía Thomas. Se dio cuenta de la importancia de la ayuda y el apoyo, Y comprendió que la soledad era un terrible tormento.

Entonces, Tomás se paró a reflexionar, Sobre su propio comportamiento, Sobre los demás a los que había hecho sufrir. Decidió cambiar, ser más amable, Dejar atrás el rencor y hacer felices a todas las estrellas y azucenas.

Se fue a casa y pidió perdón a todos por sus travesuras y su comportamiento hambriento. Los adultos se alegraron de verle cambiar y Thomas supo que podía mejorar.

Desde aquel día, Tomás estuvo más atento, a las necesidades de los demás y a su propio comportamiento. Se esforzó por hacer cosas amables y ayudar, y descubrió que la felicidad estaba en dar.

Y así, Tomás aprendió una gran lección, Que el amor y la bondad son la verdadera esencia. Dejó atrás el rencor y la risa maliciosa, Pues sabía que en la bondad reside lo más preciado.

Ahora, Thomas se duerme serenamente, soñando con días de paz y amor sereno. Y el mundo que le rodea sonríe satisfecho, porque ha aprendido el valor de ser un niño cariñoso y querido.

Buenas noches, dulce Thomas, que tu corazón siga siendo generoso.

El lobo feroz: una historia de esperanza

Érase una vez, en un denso bosque, un lobo malo de gran pelaje. Todos temían su presencia, pues creían que era una inmensa amenaza.

Pero el lobo malo tenía un secreto oculto, En su corazón había un amor sincero. Ansiaba cambiar y demostrar que podía ser amable y adorable.

Un día, un valiente gorrioncillo se cayó del nido, Y el lobo feroz se acercó, inseguro y tímido. Quiso ayudar al pequeño pájaro en apuros, y lo llevó suavemente a un lugar seguro, sin crueldad.

El gorrioncillo vio la bondad en el corazón del lobo, y se dio cuenta de que era diferente de los demás lobos. Le preguntó por qué parecía tan despiadado, y el lobo le habló de su soledad y de sus tormentos pasados.

El gorrión sonrió suavemente, Y dijo al lobo: "Nadie es sólo maldad y dureza. Puedes cambiar y mostrar tu verdadero yo, Tu bondad puede hacer florecer lo bueno que llevas dentro".

El lobo malo se sintió conmovido por las palabras del gorrión y decidió demostrar que su corazón no era de hielo. Se acercó a los demás animales del bosque, ofreciéndoles amabilidad y ayuda, sin pedir nada a cambio.

Las criaturas del bosque se sorprendieron, Por el lobo que se había transformado en una figura de dulzura. Descubrieron que el lobo ya no era una amenaza, Sino un amigo, un aliado, una luz en su espesa oscuridad.

La noticia de la transformación del lobo se extendió por todas partes, Y pronto su bondad se convirtió en un tema de planeta y planeta. Los animales aprendieron que juzgar es un error, Y que el cambio puede traer un futuro brillante y auspicioso.

El bondadoso lobo encontró por fin su paz, En el corazón de los animales que lo abrazaron sin miedo y en paz. Y así, el bosque floreció de nuevo con armonía y comprensión, Gracias al lobo malo que había encontrado su redención.

La historia del manso lobo nos recuerda que nunca debemos dejar de tener esperanza. La gente puede cambiar y crecer, sólo hay que darles una oportunidad y creer.

Y ahora, dulce lector, cierra los ojos y sueña, Un mundo donde la bondad y el amor sean soberanos. Buenas noches, y que tu sueño sea pacífico y sereno, Como el corazón del lobo que ha encontrado su destino.

Calíope, la sirena de las aguas profundas

En el vasto océano, donde las aguas eran claras y profundas, vivía una sirena llamada Calíope. Calíope tenía una larga cabellera azul y una voz melodiosa que encantaba a cualquiera que la escuchara. Le encantaba nadar entre los corales y bailar con los peces de colores.

Un día, mientras exploraba el fondo del mar, Calíope descubrió un viejo cofre de madera entre las algas. Curiosa, lo abrió y encontró un misterioso mapa en su interior. El mapa señalaba un lugar secreto y mágico llamado "La Caverna de las Maravillas".

Calíope decidió seguir el mapa y averiguar qué se escondía en aquella cueva. Nadó a través de mares y océanos, superando obstáculos y haciéndose amiga de criaturas marinas por el camino. Tras un largo viaje, por fin llegó a la Caverna de las Maravillas.

Dentro de la caverna, Calíope estaba fascinada por las maravillas que la rodeaban. Había tesoros resplandecientes, conchas brillantes y criaturas mágicas que bailaban en el agua. Calíope se sentía como si hubiera entrado en un sueño encantado.

Pero entre los tesoros y maravillas, Calíope descubrió una cría de foca abandonada. Parecía asustada y sola. Calíope se dio cuenta de que la foca necesitaba de ayuda y se acercó suavemente. La cogió en brazos y la acarició suavemente.

A partir de ese momento, Calíope decidió cuidar de la pequeña foca. Le puso un nombre, Estela, y juntas formaron un vínculo profundo y especial. Calíope enseñó a Estela a nadar y a cazar, y le mostró el maravilloso mundo submarino.

Con el paso del tiempo, Calíope y Estela se hicieron inseparables. Juntas exploraron las profundidades del mar, conocieron criaturas extraordinarias y descubrieron lugares encantados. Calíope se dio cuenta de que el verdadero tesoro no era dónde estaban, sino el amor y la amistad que tenía con Stella.

Cuando regresaron a la Cueva de las Maravillas, Calíope se dio cuenta de que su viaje les había traído un regalo especial: el vínculo formado entre una sirena y una foca. La Cueva de las Maravillas se convirtió en su refugio secreto, un lugar al que siempre podían volver para encontrar alegría y felicidad.

La historia de Calíope y Estela nos enseña que el amor y la amistad pueden superar cualquier barrera. Por muy diferentes que seamos de los demás, siempre podemos encontrar una forma de conectar y encontrar la felicidad.

El leñador y el niño perdido

Érase una vez un leñador llamado Pietro, que vivía en la linde de un inmenso bosque. Pietro era un hombre robusto, de barba poblada y buen corazón. Se pasaba el día cortando árboles y cuidando el bosque que tanto amaba.

Un día, mientras estaba inmerso en su trabajo, Pedro oyó un suave sollozo que venía de lejos. Siguió el sonido y encontró a una niña pequeña sentada en el tronco de un árbol, con los ojos brillantes de lágrimas.

Peter se acercó amablemente y preguntó a la niña qué le había ocurrido. La niña le explicó que se había alejado de su familia durante un paseo por el bosque y que ahora estaba perdida. Estaba asustada y no sabía cómo volver a casa.

Peter comprendió inmediatamente que tenía que ayudar a la chica. Con una sonrisa tranquilizadora, le cogió la mano y le dijo que la llevaría de vuelta con su familia. Se puso en marcha a través del denso bosque, utilizando su experiencia para encontrar el camino correcto.

Mientras caminaban juntos, Peter le contó historias maravillosas sobre la naturaleza que les rodeaba. La niña se sentía cada vez más segura, sabiendo que había encontrado un amigo de confianza en el amable leñador.

Al cabo de un rato, su camino les llevó a un amplio claro donde los rayos dorados del sol se filtraban entre las hojas de los árboles. Allí vieron a la familia de la niña esperándoles, con los ojos llenos de preocupación y alegría.

La niña corrió a los brazos de sus padres, mientras Peter se unía a ellos con una sonrisa. Los padres estaban profundamente agradecidos al leñador por haber encontrado a su niña perdida.

A partir de ese día, la familia de la niña visitó el bosque a menudo, y Peter se convirtió en un miembro más de la familia. Pasaban los domingos juntos, explorando el bosque y disfrutando de las maravillas de la naturaleza.

Peter enseñó a la niña la importancia de respetar el bosque y todas las criaturas que viven en él. La niña aprendió a amar y apreciar la belleza de la naturaleza, gracias a la ayuda y el cariño del amable leñador.

Así, la historia del amable leñador y la niña perdida nos recuerda la importancia de la bondad y la ayuda mutua. A menudo, un simple acto de bondad puede alegrar la vida de alguien y crear un vínculo duradero.

Ahora, querido lector, es hora de irse a dormir, soñando con aventuras y amistades especiales que puedan llenar tu corazón de alegría.

Celeste, el cisne de la gracia encantada

Érase una vez, en un lago rodeado de verdes praderas, un magnífico cisne blanco llamado Celeste. Celeste era conocida en toda la región por su gracia y belleza. Todos los días nadaba por el lago con elegancia, bailando sobre el agua como si fuera una bailarina celestial.

A Celeste le encantaba el lago y todo lo que lo rodeaba. Paseaba por las orillas floridas, admiraba los majestuosos árboles y escuchaba el canto de los pájaros. Se sentía feliz de formar parte de aquella maravillosa naturaleza.

Un día, mientras Celeste se preparaba para su baño matutino, oyó un suave llanto procedente de un arbusto cercano. Curiosa, se acercó y encontró a un polluelo pequeño, perdido y asustado.

Sin dudarlo, Celeste se agachó para coger al polluelo entre sus alas y lo protegió con cariño. El polluelo, llamado Fluffy, se sintió seguro y calentito junto al tierno cisne.

Celeste decidió cuidar de Fluffy como si fuera su propio hijo. Enseñó al polluelo a nadar en el lago y lo guió en su búsqueda de comida. Fluffy miraba a Celeste con ojos de admiración, agradecido por el cariño y el afecto que recibía.

Con el tiempo, Fluffy creció y aprendió a volar. Celeste le animó a desplegar sus alas y explorando el inmenso cielo azul. Fluffy se sentía valiente y fuerte gracias al ejemplo y al apoyo de su amigo el cisne.

Un día, Celeste y Fluffy estaban a orillas del lago, admirando el reflejo dorado del atardecer en el agua. Celeste miraba orgullosa al polluelo que se había convertido en un hermoso cisne, de plumas blancas como la nieve.

Celeste y Fluffy sonrieron, sabiendo que había llegado el momento de que Fluffy volara solo. Con un último abrazo cariñoso, Fluffy alzó el vuelo, explorando el mundo con la gracia y la fuerza que Celeste le había enseñado.

Cuando Celeste vio volar a su querido polluelo, se dio cuenta de que había contribuido a guiar a Fluffy hacia la independencia. Se sentía feliz por haber dado a Fluffy el amor y la seguridad que necesitaba para enfrentarse al mundo.

Y así, Celeste siguió viviendo en el lago con gracia y dignidad, recordando con cariño su aventura con Fluffy. Los habitantes de la región admiraban su esplendor y bondad, y la historia de Celeste y Fluffy se transmitió de generación en generación.

La historia de Celeste nos enseña que el amor y el apoyo pueden cambiar la vida de alguien, y que tanto dar como recibir son regalos preciosos. Incluso cuando tenemos que desprendernos de lo que amamos, nuestro amor permanece en los corazones de aquellos a quienes hemos ayudado a amar y a crecer.

Ahora, cierra los ojos y deja que la dulce canción de Celeste te arrulle y te lleve a un mundo de sueños encantados.

Buenas noches, querido lector.

Milton Keynes UK
Ingram Content Group UK Ltd.
UKHW020849240823
427393UK00006B/118

9 798211 026094